D0719303

TAXI!

Bij Uitgeverij Zomer & Keuning verscheen ook:

Anita Verkerk
HEISA IN VENETIË
ETAGE TE HUUR

Mariëtte Middelbeek
TWEE IS TE VEEL
REVANCHE IN NEW YORK

Els Ruiters
DOOR DIK EN DUN

Mia Land

Taxi!

ISBN 978 90 5977 226 7
NUR 340

Omslagontwerp: Julie Bergen

www.kok.nl

1

„Daar is ze eindelijk!" riep Femke uit, terwijl ze Celina een por in haar zij gaf en wijzend achterom keek. „Waar bleef je toch?" Ze schoot spontaan in de lach toen ze het oververhitte gezicht van Niki zag. Haar lange, rode, krullende haren hingen verward rond haar hoofd. Haar rugzakje hield ze met één hand vast en het sleepte over de grond. „Je agenda!" riep Femke waarschuwend. Ze liep op haar vriendin af, bukte zich en raapte het boekje op.

„Geef hier," zei Niki lachend en greep het boekje uit haar hand. Femke snapte best waarom. In de gauwigheid had ze nog net het woord 'Notities' op het kleine, knalrode boekje zien staan.

„Waar bleef je toch?" herhaalde ze haar vraag. Dat Niki altijd en overal te laat kwam, was algemeen bekend, maar zo laat?!

„Lekke band," zei deze verontschuldigend, maar haar blauwe ogen glansden erbij. „Op de snelweg!"

„Dat meen je niet?" riep Sonja uit, die ook op hen afgelopen was. „Wat een ramp! En toen?"

„Wegenwacht gebeld!" zei Niki triomfantelijk. „Een spetter, joh. Zeg, waar zijn ze eigenlijk?" Nu pas liet ze haar blik over het voetbalveld glijden, waar alleen een paar kleine kinderen achter een bal aan renden.

„Onze binken?" vroeg Sonja opgewekt.

„Ja, precies! Onze boys, waar zijn ze?"

„Nee, hè," verzuchtte Celina, die altijd de rustigste van het stel was, „heb je geen horloge om? Je bent drie kwartier te laat. Ze hebben pauze en zitten in de kleedkamer."

„Nu al?" riep Niki uit alsof ze er echt niets van begreep. „Ik was nog wel zo vroeg vertrokken vandaag. Dan heb ik wel heel veel tijd verdaan met die spetter van de wegenwacht!" Ze lachte schaterend. „Weet je wel dat het heel sexy staat..." Ze liet haar stem dalen en keek haar vriendinnen met glanzende ogen aan.

„Wat?" vroegen Femke en Sonja in koor.

„Die grote, sterke handen," fluisterde Niki, „met die zwarte vingers van de vieze band, mijn band, snap je. Wow, wat had ik graag die band willen zijn!" Ze sloeg haar ogen omhoog en liet haar blik even dromerig naar het oneindige glijden. „Hij was zo gespierd, sterk. Zoals hij de auto opkrikte. Echt, ik vond het jammer dat ik alleen maar een lekke band had. Hij had hem zo verwisseld. Fluitje van een cent."

„En toen?" vroeg Sonja die altijd graag alle details wilde weten.

„Tja..." Niki liet langzaam een zucht ontsnappen en haalde vervolgens haar schouders op. „En toen ging hij weer."

„Ging hij weer? Niki, waar is je veroveringsinstinct gebleven?" riep Femke verbaasd uit. „Ben je ziek?"

Niki glimlachte. „Hij moest natuurlijk mijn gegevens hebben en toen wou ik hem mijn telefoonnummer ook geven, maar opeens zag ik die gladde ring aan zijn rechterhand en als er iets is, waar ik een hekel aan heb, dan is het..."

„... aan trouwringen!" vulde Sonja aan.

„Helemaal niet!" riep Niki uit. „Maar wel aan de hand van een man vóórdat ik hem versierd heb. Is Maaike er niet?"

„Hoever is de stad hier vandaan?" vroeg Sonja.

„Hè?" Niki keek haar niet-begrijpend aan. Ze woonde in de stad, niet meer in het geboortedorp waar ze nu was bij haar vriendinnen, maar de vraag begreep ze niet.

„Vijfentwintig kilometer," ging Sonja met een uitgestreken gezicht verder. „Dus vijfentwintig kilometer is voldoende om je hersens te verliezen, stel ik hierbij vast."

Niki fronste haar wenkbrauwen.

„Je had die wegenwachter moeten vragen je hoofd ook

even na te kijken," was Femke het met Sonja eens.
„Wat is er met jullie?"
Celina glimlachte. „Maaike staat in de kantine. Als vrijwilliger. Dat doet ze altijd op de laatste zaterdag van de maand. Al jaren! Dat zou je moeten weten."
„Poeh, natuurlijk weet ik dat. Ik wist alleen niet dat het vandaag de laatste zaterdag van de maand was." Ze wierp een blik over haar schouder heen en probeerde de kantine in te kijken, maar het was er niet erg licht en meer dan een paar schaduwen zag ze niet. „Nou ja, die zien we dan straks wel. Hoeveel staat het eigenlijk?"
„Drie-een," zei Celina.
„Voor wie?" vroeg Niki volkomen onschuldig.
„Je bent echt niet goed wijs," riep Femke uit. „Voor ons natuurlijk. Anders zei Celina wel een-drie."
„Ik leer het nooit," verzuchtte Niki theatraal, maar haar ogen bleven fonkelen.
„Je wílt het helemaal niet leren. Je bent totaal niet in voetbal geïnteresseerd," merkte Sonja op.
Niki keek haar verontwaardigd aan, maar ze kon haar gezicht niet in de plooi houden. „Je hebt helemaal gelijk. Ik kom hier alleen maar voor de mannen."
„Nou zeg!" Nu was het Femkes beurt om verontwaardigd te kijken. „Ik dacht dat je hier voor óns kwam."
„Misschien..." zei Niki geheimzinnig. „O, daar heb je ze. Hup Veldhuizen! Zet je beste beentje voor," moedigde ze de mannen aan die een voor een het veld op kwamen lopen. „Hé, zie je dat?" zei ze opeens met ingehouden adem. „Dat is dat elftal uit Zuidzijl, toch?"
„Hè, hè, ze is weer bij," lachte Femke.
„Welk nummer had die mooie ook alweer?"
„Smaken verschillen," vond Sonja. „Ik ben helemaal weg van nummer 8."

Niki liet haar blik over het voetbalveld glijden. De scheidsrechter had gefloten voor de aftrap en de spelers renden in haar ogen kriskras over het veld. Zacht sissend liet ze haar adem tussen haar lippen door verdwijnen. „Nummer 11, die was het. Wow, wat een borstkas. Wat een schouderpartij!" Ze fluisterde de woorden bijna. De bewondering stond op haar gezicht geschreven.

„Luc! Naar rechts! Geef af die bal," riep Femke opeens luid over het veld. „Geef af!" Ze hield haar adem in en gespannen volgde ze de man die ze al vanaf haar geboorte kende. Net als bijna alle spelers van v.v. Veldhuizen. „Achter je!" riep ze waarschuwend. Haar handen omklemden het ijzer van de afzetting rond het veld, haar knokkels werden er wit van. „Jaaaa!" gilde ze uitbundig. „Geweldig!" Ze klapte wild in haar handen. „Vier-een!" Ze draaide zich met rode wangen om en zwaaide naar de kantine. „Vier-een, Maaike!"

Maaike, die vanuit de kantine het spel gevolgd had, kwam lachend naar buiten. „Zijn derde doelpunt al in deze wedstrijd," zei ze trots.

„Je hebt inderdaad de topscorer van Veldhuizen aan de haak geslagen," zei Femke vrolijk.

„Alleen wist ze dat toen nog niet," zei Celina nuchter, terwijl ze Maaike nakeek, die de kantine weer in verdween met de woorden 'de frituur' .

Daar had Celina helemaal gelijk in. Maaike en Luc hadden nu zes jaar verkering en al hield hij toen al van voetbal, dat hij zo vaak een doelpunt zou maken, had zelfs Luc destijds nog niet gedacht. Celina keek weer naar het veld. Ze was geen voetbalfanaat, maar ze hield ervan om hier langs de lijn te staan. Ze kende bijna alle spelers al van kleins af aan. Ze was hier geboren en getogen en ze voelde zich hier thuis. Al woonde ze tegenwoordig in Lossum, een dorp verderop, ze genoot er telkens weer van om hier te zijn. Meestal ging ze voor de wedstrijd even bij haar ouders langs, die hier nog wel woonden en altijd overviel haar het thuisgevoel als ze door het dorp liep. Dat miste ze in Lossum, al wilde ze toch niet ruilen, want ze woonde geweldig. Femke had van haar ouders een huis gekregen in Lossum, de bofkont, maar Femke had geen zin gehad om er alleen in te wonen. Ze vond het ook veel te groot. Spontaan had ze Celina de zolderverdieping aangeboden en net zo spontaan had deze die geaccepteerd. De zolder was groot genoeg voor een ruime zit-slaapkamer en natuurlijk kon ze gebruikmaken van de badkamer op de tussenverdieping en de keuken op de begane grond. Femke vroeg maar weinig huur. Ze konden ook erg goed met elkaar overweg. Problemen hadden ze nog nooit gehad.

„Nee, hè!" riep Niki uit. „Niet nummer 11!"

Celina had even niet opgelet, maar nu zag ze nummer 11 het veld verlaten, terwijl de scheidsrechter met een rode kaart zwaaide.

„Wat een agressief ventje," riep Niki teleurgesteld uit. „Daar gaan mijn plannen om hem te versieren. Zo'n driftkikker hoef ik niet."

Celina keek haar vriendin vragend aan en schudde haar hoofd. Niki was een schat van een meid en echt eentje waar je veel lol mee kon hebben, maar haar begrijpen deed ze niet. „Je wou Dénnis toch versieren," zei ze zacht.

„Dennis?" Niki's gezicht straalde alweer. „Natuurlijk, dat is de enige man die de moeite waard is, maar zolang ik hem niet heb, kan ik toch wel met andere mannen flirten?"

Celina draaide haar hoofd af. Ze kon het puntje van haar tong wel afbijten en had spijt dat ze Dennis' naam genoemd had. Ze wilde en mocht zich niet in de kaart laten kijken. Niet waar Niki bij was. Ze slikte en voelde de pijn in haar hart.

„Wat ben je stil," zei Niki, terwijl ze een arm om Celina heen sloeg en haar meetrok naar de kantine.

„Dat is ze toch altijd," zei Sonja glimlachend. „Bij jou vergeleken tenminste."

„Misschien, maar ze is nu stiller dan ooit." Niki keek haar onderzoekend aan en Celina wou dat er een gat in de grond zat waarin ze onopgemerkt kon verdwijnen. Ze wilde niet dat Niki wist dat ze verdriet had. Liefdesverdriet. Nee, Niki niet. Juist zij mocht het niet weten. „Waar is Maaike?" vroeg ze om de aandacht van zich af te leiden.

Het werkte. Iedereen keek naar de bar, maar Maaike stond er niet. Tegelijk ging de deur naar de keuken open en kwam een jonge vrouw met knalrode wangen de kantine in. Het lichtbruine haar dat ze opgestoken had, was hier en daar losgegaan en er hingen wat vettige sliertjes langs haar gezicht. „Wat is de eindstand?" riep ze toen ze haar vriendinnen zag.

„Vijf-drie," zei Femke zo trots dat het leek alsof ze zelf meegespeeld had. „We hebben weer eens gewonnen. Als we zo doorgaan, worden we dit seizoen kampioen! Doe eens een rondje!"

„Mooi niet, ik ben in de keuken bezig. De tegenpartij heeft twintig frikandellen besteld. Ik ben hartstikke druk. Vraag hém maar." Ze wees naar de man achter de bar en verdween de keuken weer in.

„Daar heb ik straks nog een hele klus aan," mompelde Celina.

„Welnee, je zet haar gewoon onder de douche, beetje shampoo erbij en klaar is Maaike weer."

Celina trok haar neus op. „Al dat vet is niet goed. Ze staat veel te veel met haar hoofd boven de frituurpan." Ze schudde haar kortgeknipte hoofd en zocht een tafel bij het raam. „Zullen we daar gaan zitten?" vroeg ze en liep vast in de richting.

Sonja kwam haar achterna. „Kun je mijn haar straks ook doen?"

„Tuurlijk, maar het zit toch al leuk?"

Sonja schudde haar hoofd. „Als jíj er een paardenstaart van maakt, zit het altijd veel beter dan wanneer ik het zelf doe."

Celina glimlachte. „Dan heb ik niet voor niets voor kapster geleerd. Heb je trouwens al werk?"

„Ja, voor ruim drie maanden. Iemand vervangen die met zwangerschapsverlof is." Haar gezicht betrok.

„Niet leuk?" vroeg Celina.

„Best wel, maar ruim drie maanden! Dat lijkt gewoon een eeuwigheid."

Celina lachte. „Mallerd, die zijn zo voorbij en dan sta je weer op straat en dan?"

„Ja, dat op straat staan vind ik ook niet alles, want dat levert niet veel geld op, maar om alle dagen hetzelfde werk te doen! Ik word er gewoon gek van. Ik kan daar niet tegen, hoor."

„Hoe kom je toch zo ongedurig? Ik ben juist blij dat ik onlangs een jaarcontract gekregen heb bij de kapsalon waar ik nu alweer drie jaar werk. Ik hou wel van vastigheid, dan weet je waar je aan toe bent. Maar wat is het voor werk?"

Sonja haalde haar schouders op. „Best leuk, hoor, dat zei ik al. Dat is het ook niet, maar gewoon... Tja, hoe leg ik dat uit. Ik ben zo bang dat ik vastroest en als ik dan tachtig ben en terugkijk, dan denk ik dat ik nog steeds niets gedaan heb. Ik wil alles meemaken, alles doen. Ik wil niets missen. En als ik ergens vastzit, kan ik al die andere dingen niet meer doen." Ze zuchtte en keek haar vriendin met een ernstig gezicht aan. „Maar goed, ik ben manusje-van-alles bij een pottenbakker en eigenlijk is het een geweldig baantje, want ik heb vreselijk veel vrijheid en toch..."

„Wat moet je doen dan? Moet je zelf ook potten bakken?"

Sonja schoot in de lach. „Dan zouden ze niets meer verkopen. Creatief ben ik dus echt niet! Nee, ik moet de vloer aanvegen, en ik moet grote potten die verkocht zijn naar de klanten brengen met een bestelauto van de zaak. Ik moet inkopen doen en rekeningen versturen. Heel afwisselend dus. Vooral echt leuk omdat ik ook de hort op moet. Nee, het is een prima baantje, ik ben alleen bang voor die drie maanden."

„Rúim drie maanden," zei Celina plagend.

„Precies." Sonja schoot in de lach. „Pest me er maar mee. In elk geval geef ik vanavond een extra rondje omdat ik dat baantje heb."

„Dat heb ik gehoord," zei Femke, die twee glazen bier op tafel zette. „Alsjeblieft."

„Nee, hè, heb ik weer!" Niki liet haar twee glazen bier bijna vallen toen ze geschrokken en beteuterd naar de ringvinger van haar linkerhand keek. „Hoe heb ik dát nou voor elkaar gekregen? M'n hele nagel is er af!"

„Heb je de wegenwachter soms geholpen?" bedacht Femke, terwijl ze Niki's hand greep en bekeek wat er van de nagel over was. „Er zit zelfs vuil onder."

„Onder? Hoe kan er nou nog wat onder zitten als er geen nagel meer is."

„Hé, girl, er is alleen maar een stukje afgebroken. Ik vijl het straks wel bij, dan zie je er niets meer van."

„Bijvijlen. Ben jij gek. Ik kan toch niet met negen lange en één korte nagel gaan stappen!"

„Dan vijl ik ze allemaal bij. Of plak er een nepnagel op. Dat kan ook nog."

„Geen gezicht."

„Ja, sorry, hoor, moet je die man van de wegenwacht ook maar zelf het werk laten doen."

„Bloos je?" vroeg Sonja giechelend. „Proost, trouwens!"

Ze pakten allemaal een glas en keken elkaar aan. „Op het weekend!" Ze dronken gulzig hun glazen leeg. De buitenlucht had hen dorstig gemaakt.

„Ik haal nog wel een rondje." Celina stond op.

„Voor mij een glas water," zei Niki. „Ik moet nog rijden." Ze keek nog steeds met een wanhopige blik naar haar nagel. „Ik heb natuurlijk zelf die krik uit de achterbak gehaald. Ik wou indruk maken."

„Maar de krik heeft indruk op jou gemaakt," stelde Sonja lachend vast.

„Hoi, gaan jullie vanavond stappen?"

De vriendinnen keken op naar de vrouw die bij hen was komen staan.

„Ha, Malin, hoe is het mij jou?" riep Niki spontaan uit, maar onder de tafel voelde ze dat iemand haar schopte. Verontwaardigd keek ze opzij, recht in de waarschuwende ogen van Femke.

„Goed," zei Malin opgewekt. „Ik heb zin om uit te gaan, maar alleen is maar alleen. Kan ik niet met jullie mee? Dat is veel gezelliger."

„Natuurlijk kun je met ons mee," riep Niki opgetogen uit. Ze voelde dat ze nu van twee kanten onder de tafel werd geschopt, maar ze deed alsof ze niets merkte. „Iedere vrouw is welkom! We vertrekken om elf uur bij Sonja vandaan. Hoewel, het kan ook kwart voor elf of kwart over elf worden, want we gaan met de regiotaxi. Je weet wel, die bussen hier, ha, die rijden zo laat niet meer en als ze het toch doen, dan nooit daarheen waar wij naartoe willen."

„Dus ik kan mee?" Malin keek haar glunderend aan.

„Tuurlijk, joh. Hoe meer zielen hoe meer vreugd." Niki voelde hoe Sonja nu aan haar arm zat te trekken, maar ze ging onverstoorbaar door tegen Malin. „Maar je moet wel vijftig euro storten."

„V-vijftig euro?" Malin keek haar met grote ogen aan. „Waarvoor?"

„Dat doen we allemaal. Eén grote stappot. Dan maakt het niet uit wie er een rondje geeft. Zijn we allemaal even duur uit en als er wat overblijft, verdelen we dat weer netjes onder elkaar. Oké?"

Malin knikte aarzelend.

„Dat is inclusief de taxi, hoor," zei Niki nog aanmoedigend.

„Ja, ja, dat begrijp ik, maar ik bedenk me opeens dat Johan ook gevraagd heeft of ik... Als ik niet om kwart voor elf bij Sonja ben, hoeven jullie niet te wachten, dan rij ik met Johan mee."

„Afgesproken," zei Niki joviaal. Triomfantelijk draaide ze zich weer naar de anderen. „Zó doe je dat."

„Die zien we dus de hele avond niet meer terug," zei Sonja.

„Dat denk ik ook niet."

„Je bent eigenlijk heel gemeen," zei Celina, maar ze lachte toch.

„Poeh, hé, iemand die nog nooit, maar dan ook nog nóóit één cent heeft uitgegeven en altijd, maar dan ook altijd op andermans kosten drinkt, dié is pas gemeen. Daar ben ik echt wel een schatje bij!" vond Niki.

„Je hebt helemaal gelijk. Je ziet er echt uit om op te vreten," zei een zware mannenstem.

Niki keek geschrokken opzij en raakte bijna met haar neus de neus van een man die voorovergebogen stond. Hij trok een stoel achter zich aan en manoeuvreerde die tussen Niki en Femke in. Hij liet zich op de stoel zakken, legde zijn frikandel met mayo op tafel, keek even zorgelijk naar zijn hand, zag de mayonaise, veegde die aan zijn jeans af en stak toen zijn hand uit naar Niki. „Sander."

2

Ze deden dit nu al jaren en wat hun betrof bleven ze het de rest van hun leven doen ook: om de veertien dagen elkaar op zaterdagmiddag ontmoeten op het voetbalveld en daarna bij iemand thuis kletsen, make-up uitproberen, omkleden, eten, om zo rond een uur of elf met zijn allen naar discotheek 'Crosspoint' of een kroeg te gaan. Ze bestonden uit zeker tien vriendinnen, die elkaar allemaal al kenden vanaf de basisschool. De meesten hadden ook bij elkaar in de klas gezeten en al waren ze na de basisschool verschillende kanten op gegaan omdat er in hun eigen dorp niet meer dan een basisschool was, hun geboortedorp bleef trekken en zo was dit ritueel uiteindelijk ontstaan.

Dat ze elkaar op het voetbalveld ontmoetten, kwam omdat het sportveld altijd al het middelpunt van het dorp was geweest, waar veel dorpsgenoten naar de wedstrijd kwamen kijken. Iedereen kende immers wel iemand die meedeed in 'hun' eerste elftal. Het echte thuisgevoel was langs de lijn en in de kantine dan ook altijd letterlijk te proeven.

En als hun team niet op die zaterdagmiddag thuis speelde, dan zagen ze elkaar bij de uitwedstrijd in een ander dorp. Wat weer de leuke bijkomstigheid had dat er andere mannen rond het veld liepen, en de grootste sport van de meiden van Veldhuizen was toch wel om te kijken of niet ergens dé prins op het witte paard rondstruinde.

Sommige vrouwen lieten het wel eens afweten, maar Maaike, Niki, Celina, Femke en Sonja waren de echte diehards. Zij waren er altijd. In de afgelopen jaren hadden ze allemaal wel een keer een vriendje gehad, maar behalve Maaike, die nu al zes jaar met Luc ging, hadden ze het nog nooit lang volgehouden. Wel hadden alle vriendjes het moeten accepteren dat ze eens in de twee weken niet welkom waren, want het meidenweekend ging voor alles. Soms was dat ook de reden geweest waarom een relatie niet stand hield, want er waren mannen die het gewoon niet konden begrijpen dat ze zo vaak met hun vriendinnen wilden stappen. „Je hebt mij nou toch?" zeiden ze dan verwijtend. Maar niets ging boven echte vriendschap, vonden Maaike, Niki, Celina, Femke en Sonja. Bij hun vriendinnen konden ze altijd terecht. Met hen kon je lol maken en bij hen kon je uithuilen. Mannen begrepen je nooit zo goed als je allerbeste vriendin.

Luc van Maaike had nooit bezwaar gemaakt. Hij vond het zelfs wel prettig, want hij ging ook graag stappen met zijn vrienden. Soms kwamen ze elkaar tegen tijdens het uitgaan, maar ook dan bleef Maaike bij haar vriendinnen staan en Luc bij zijn vrienden en iedereen was meer dan tevreden.

Hoewel... helemaal tevreden... Diep vanbinnen moest Maaike toegeven dat ze nu eindelijk wel eens met Luc wilde gaan samenwonen of nog liever: trouwen. Niet alleen had ze er genoeg van dat iedereen telkens weer vroeg wanneer ze nou toch zover waren, zelf leek het haar ontzettend heerlijk om alle dagen bij hem te zijn en 's avonds samen op hun eigen bank te zitten en naar hun eigen televisie te kijken, om daarna samen naar hun eigen bed te gaan... Maar Luc hield de boot af. O, hij had gegronde redenen en dat wist Maaike al jaren. Zijn ouders waren gescheiden toen hij tien was en dat was de reden waarom hij zelf nooit zou gaan trouwen, zei hij altijd. Het was misschien gewoon bijgeloof, want samenwonen betekende voor hem precies hetzelfde als trouwen. Ook dan hield het in dat hij nooit meer bij haar weg zou gaan. Maar op de een of andere manier had hij het gevoel dat een officieel huwelijk angstaanjagender was dan samenwonen en dat de kans op scheiden groter was als ze getrouwd waren, dan wanneer ze niet getrouwd waren. Daar was

Maaike het natuurlijk totaal niet mee eens en ze hoopte dan ook hem ooit toch om te kunnen praten, maar dat andere...

Het werd echt tijd dat hij die gedachten in daden ging omzetten. „Eerst mijn droomhuis bouwen," zei Luc steeds opnieuw als ze voorzichtig over samenwonen begon. Luc had mbo-bouwkunde gedaan en al tijdens het eerste leerjaar voelde hij de drang om ooit zijn eigen huis te bouwen. Als opdracht had hij namelijk een keer een huis moeten tekenen met alles erop en eraan en vanaf dat moment kon hij nog maar aan één ding denken: dat huis zou hij gaan bouwen en pas als het er helemaal stond, zou hij gaan samenwonen. Het duurde alleen wel erg lang, vond Maaike, maar als ze dat zei, zuchtte Luc. „Je weet niet half hoe duur het is om een huis te bouwen. Ook al kan ik alles zelf, dan nog kost het een paar honderdduizend euro. Ik moet eerst sparen!" Steeds weer wierp Maaike tegen dat zij mee kon betalen en dat ze natuurlijk een hypotheek konden nemen en dus niet alles van tevoren op de bank hoefden te hebben staan, maar dat vond Luc maar niets. Hij wilde geen hypotheek, hij wilde zijn eigen huis met zijn eigen geld neerzetten. Daarom woonde hij ook nog steeds thuis bij zijn moeder en zijn stiefvader. Dat bespaarde hem handenvol geld, zei hij altijd. Dat het ook gemakkelijk was, liet hij in het midden, maar Maaike vermoedde dat hij het stiekem ook wel erg prettig vond dat zijn moeder elke dag kookte en de was voor hem deed.

Zelf woonde ze inmiddels niet meer thuis. Drie jaar geleden kon ze een kleine huurwoning krijgen in hun dorp en die had ze met beide handen aangenomen. Ze genoot ervan voor zichzelf te zorgen en zelf baas te zijn en nergens meer verantwoording voor af te hoeven leggen. Ze genoot er vooral van als Luc bij haar langskwam en ze niet aan haar ouders hoefde te vertellen dat hij bleef slapen. De huurprijs was laag omdat de woning echt erg klein was, en daardoor kon ze elke maand een leuk bedrag overmaken naar haar spaarrekening. In haar gedachten had ze het droomhuis van Luc al duizend keer ingericht met haar eigen, zelf verdiende spaargeld.

Maaike was verpleegkundige geworden en werkte in een ziekenhuis in de stad. Soms bleef ze bij Niki slapen, die daar een etage bewoonde in een groot, oud herenhuis, midden in het centrum. Maaike hield van de gezellige drukte, van de winkels in de buurt en de vele kroegjes en barretjes, maar nooit voor langer dan een paar dagen achtereen.

Niki zat heel anders in elkaar. Die zou niet meer voorgoed terug willen naar het dorp. In de stad gebeurde het, vond ze altijd. Niki had de pabo gedaan en was lerares op een basisschool geworden. De vriendinnen konden het soms nog niet begrijpen, zo chaotisch als Niki kon zijn, en altijd kwam ze te laat. Niet bepaald een voorbeeld voor kinderen. De kinderen waren echter dol op haar, dat was wel te zien aan de vele tekeningen die ze steeds weer van hen kreeg en waar ze een hele muur mee behangen had. Een vaste relatie had Niki nog steeds niet. Natuurlijk had ze al verschillende vriendjes gehad, maar nooit voor lang dus. Ze had altijd snel genoeg van hen en zag al gauw weer een ander die leuker en mooier was dan de man met wie ze omging. Wispelturig was een woord dat goed bij haar paste als het om mannen ging. Wispelturig en snel in vuur en vlam.

Precies het tegenovergestelde van Celina, die rustig was en zelfs wel wat verlegen, soms jaloers op de spontaniteit van Niki, die altijd met iedereen contact maakte, terwijl Celina zich in zichzelf terug kon trekken en stil vanaf een afstandje naar haar omgeving keek. Zij was kapster geworden en ze was goed in haar vak. Ze was altijd op de hoogte van de modekapsels en knipte haar vriendinnen graag en vaak en altijd volgens de nieuwste trend. Ze woonde dus op de zolderverdieping van Femkes huis in Lossum en ze konden het samen geweldig vinden. Ze hadden ook veel raakvlakken, want Femke was schoonheidsspecialiste en ook altijd geïnteresseerd in de nieuwste snufjes op dat gebied. Ze hadden het er zelfs al eens over gehad of ze niet samen een bedrijfje zouden starten. Femke had daar de diploma's voor, maar Celina vond het toch te riskant. Stel dat het misliep, dan stonden ze werkloos op straat en konden ze opnieuw naar een baan gaan zoeken en de WW was tegenwoordig ook niet meer wat die geweest was.

Celina en Femke waren allebei single. Ze hadden wel eens een relatie gehad, maar geen van beiden had de ware jajob ontmoet. Femke deed daar heel luchtig over. Ze was nog jong zat en ze had dus nog tijd genoeg om de ware te vinden. Celina wilde wel heel graag een vriend. Ze had alleen op dit moment een supergroot probleem dat ze echt aan niemand vertellen kon. Ze was in stilte tot over haar oren verliefd op Dennis en dat mocht niet, want Dennis was voor Niki...

Ten slotte was Sonja er nog. Zij woonde nog bij haar moeder en vond dat alleen maar reuzegezellig en vooral gemakkelijk, omdat ze lang niet altijd werk had en dus vaak krap bij kas zat en haar moeder verlangde nooit kostgeld. Sonja had de mavo afgemaakt, maar had nooit kunnen beslissen wat ze worden wilde en had daarom sinds haar eindexamen via diverse uitzendbureaus al honderden verschillende baantjes gehad. De meeste maar voor een week, heel soms voor een maand, maar zelden langer. Ze hield van afwisseling, zei ze altijd en dat gold ook voor de mannen. Haar vriendinnen vermoedden dat ze een enorme bindingsangst had, maar dat woord spraken ze nooit uit waar Sonja bij was.

Sonja's moeder had sinds kort een vriend en dit weekend was ze bij die vriend en had Sonja het hele huis voor zich alleen. Dat kwam niet vaak voor, vandaar dus dat ze vandaag na de voetbalwedstrijd allemaal naar Sonja toe gingen.

„Doe alsof je thuis bent," riep Sonja hartelijk terwijl ze de achterdeur wijd open gooide. „Bier staat hier in de bijkeuken, daar is het lekker koel en in de koelkast staat frisdrank, jus, kaas en worst. Spekkies en chocolaatjes staan al in de kamer op het tafeltje. Ik heb de hele ochtend inkopen gedaan, dus neem het ervan!"

„Neem je voor mij een biertje mee?" riep Niki die al doorgelopen was en zag dat Femke nog in de bijkeuken stond. „Ik hoef nu niet meer te rijden."

„Ik had meer een kouwe douche voor jou in gedachten," zei Femke proestend.

Gierend van de lach lieten de anderen zich op de bank en stoelen in de huiskamer vallen.

„Dat gezicht!" riep Maaike uit. „Ik vergeet het nooit meer!"

„Hou je kop!" riep Niki quasi-verontwaardigd uit, maar haar wangen kleurden nog. „De douche is trouwens voor Maaike, want die stinkt een uur in de wind naar frituurvet."

„Oeps, je hebt gelijk," zei Maaike geschrokken. Snel kwam ze weer overeind. „Sorry, hoor. Ik rook het zelf al niet eens meer." Ze greep haar grote sporttas en keek Sonja aan. „Dat mag toch wel?"

„Feel at home!" zei Sonja opgewekt.

„Berichtje!" gilde Femke bij het horen van een vrolijk melodietje. Ze gaf Niki een por.

„Rustig nou maar, het zal Malin wel zijn, die toch mee wil."

„Ben je mal, die zien we vandaag niet meer. Kijk nou!"

Niki haalde haar mobiele telefoon uit haar rugzak en kreeg zo mogelijk nog rodere wangen.

„Wie? Van wie?" wilde iedereen weten. „Wedden dat het van Sander is?"

„Natuurlijk niet. Dacht je dat ik hem mijn nummer had gegeven?" zei Niki opeens wat snibbig.

„Daar kon hij gemakkelijk aan komen. Iedereéén heeft jouw

nummer toch," vond Sonja. „Nou, wat staat er en van wie is het?"

„Kennen jullie het woord privacy ook?" vroeg Niki grijnzend. Ze kwam overeind van de bank en liep met haar telefoon naar de gang. De deur van de huiskamer viel achter haar dicht.

„We mogen het niet weten!" gilde Femke in protest.

„Geeft niets, we komen er zo toch wel achter. Niki kan voor ons niets geheim houden," zei Femke. „Wie heeft er al trek in wat hapjes? Ik zag een salade in de koelkast staan."

„Ik help wel even," zei Celina en stond op.

Sonja kwam achter hen aan. „Ik pak de schaaltjes en vorkjes, want jullie weten hier vast niet zo goed de weg."

Ze lachten naar haar. „Kun je een beetje met die nieuwe vriend van je moeder overweg?" vroeg Celina belangstellend.

„O, best, hoor. Hij lijkt me heel aardig en hij bemoeit zich nooit met me. Dat vind ik een groot voordeel." Ze lachte en haar blonde paardenstaart zwiepte heen en weer. „Ik heb een prachtig, bloot truitje gekocht. Jullie moeten straks maar eens kijken, maar wel eerlijk zijn, hoor."

„Zijn we ooit niét eerlijk?" zei Celina.

„Hm..."

„O, lekker!" Maaike kwam de keuken binnen. „Van al dat eten maken in de kantine krijg ik altijd zo'n honger, maar er is nooit tijd om zelf iets te nemen." Ze had Sonja's ochtendjas omgeslagen en haar haren hingen in lange, vochtige sliertenrond haar hoofd. „Ik wou de föhn niet gebruiken. Eerst vragen wat Celina ervan vindt," zei ze verontschuldigend toen ze de blik van Sonja opving.

„Nee, doe maar niet," zei Celina nu. „Al dat vet en dan ook nog de föhn. Laat maar even zo. Ik doe er straks wel een maskertje in."

„Je bent een schat!" riep Maaike uit. „Wat is er trouwens

met Niki? Die liep met een vuurrood hoofd de voordeur uit toen ik de trap afkwam."

„De voordeur? Is ze weg?" riep Sonja geschrokken.

„Nee, ze bleef in de tuin staan, maar ik wilde niet met die natte haren naar buiten."

Op datzelfde moment hoorden ze de voordeur weer met een knal in het slot vallen. „Die is weer binnen," zei Femke nuchter. „Zou dat sms-je toch van Sander geweest zijn?" vroeg ze zich af.

„Ja, wat was er nou met die man?" vroeg Maaike. „Als ik achter de bar sta, mis ik alles. Was dat er een van de tegenpartij die naast haar kwam zitten?" Ze trok een kruk bij en nam plaats, terwijl Femke en Celina de schaaltjes met salade klaarmaakten. Ze stak een hand uit en trok vast een schaaltje naar zich toe. Met één vinger proefde ze ervan. „Mmm, lekker, Sonja. Zelfgemaakt?"

„Ja, goed, hè? Recept van mijn moeder."

„Echt lekker, maar nou die vent van Zuidzijl," herhaalde Maaike.

„Oké," zei Sonja lachend. „Sander dus. Hij kwam eigenlijk zo onverwachts naast Niki zitten, dat ze ervan schrok. Maar hij kwam tegelijk ook zo dicht bij haar zitten dat ze er duidelijk meteen al haar buik vol van had."

„Dat had ze op het veld al," bemoeide Celina zich ermee. „Ze was immers kwaad omdat hij een rode kaart gekregen had."

„En dan ook nog die vieze mayohand," zei Sonja proestend. „Die had ik ook niet willen schudden, hoor. Dus ze zei: 'Moevuh', maar hij lachte alleen maar. 'Ik zag best hoe je naar me keek,' zei hij en 'ik vind jou ook leuk.' Je had Niki's gezicht moeten zien. Haar ogen spoten vuur. 'Ik jou helemáál niet, je bent een onmogelijk agressief kereltje, een echte loser en je stinkt ook nog eens uit je mond.'"

Maaike schoot in de lach. Ze kon zich die blik van Niki wel voorstellen. „En toen?"

„Ja, dat was gewoon niet te geloven," ging Sonja enthousiast verder. „Hij sloeg een arm om haar heen. 'Schat,' zei hij, 'dat is dat voer dat ze je hier voorzetten.'"

Maaike vloog overeind. „Zei hij dat?" riep ze beledigd.

„Rustig maar," lachte Sonja. „Luister en huiver. Hij zei: 'Ik heb me net gedoucht en heb een heel duur geurtje gebruikt'. Toen boog hij zich nog dichter naar haar toe. 'Overal', fluisterde hij in haar oor. Wij konden het niet verstaan, maar aan Niki's gezicht konden we wel zien wat hij fluisterde en we schoten allemaal enorm in de lach. Niki werd woest. Nee, niet op ons, maar op hem en ze vloog overeind. Haar stoel viel om, maar van het ene op het andere moment veranderde haar gelaatsuitdrukking. Poeslief keek ze hem aan, terwijl ze met haar handen aan zijn broekriem begon te rukken. 'Laat ruiken!' riep ze opgewonden. 'Toe dan!' Wij lagen al in een deuk, maar toen deden we het zowat in onze broek. Joh, je had zijn gezicht moeten zien. Hij wist niet hoe snel hij weg moest komen. Hij zei niets meer, niet eens tegen zijn kameraden. Is zo de kantine uitgedenderd. Zijn teamgenoten riepen hem nog na dat zijn bier warm stond te worden, maar hij luisterde nergens meer naar. Schitterend was het. Echt schitterend." Sonja, Femke en Celina lachten nog bij de herinnering.

„Ja, lachen jullie maar, maar ik heb hem toch mooi voor schut gezet." Niki stond in de deuropening en keek triomfantelijk om zich heen.

„En toen sms-te hij," zei Sonja.

„Helemaal niet. Dat was het taxibedrijf. Ik heb vast een taxi besteld voor vanavond."

„Wat kun jij liegen!" riep Femke uit. „Het taxibedrijf sms't nooit!"

„En ik heb met nadruk om Dennis gevraagd!" zei ze stralend. „Mmm, stel dat hij ons rijdt..." Ze keek verlangend in de ruimte en was even met haar gedachten heel ergens anders. Celina was blij dat ze juist in de la met bestek aan het rommelen was, zodat het gelukkig niet opviel dat haar ogen opeens verdrietig stonden.

„Je liegt nog steeds," hield Femke vol. „Wie heeft jou een sms-je gestuurd?"

Niki zuchtte diep. Ze haalde een hand door haar lange rode krullen en zuchtte nog eens. „Oké, ik weet het. Ik kan voor jullie niets geheim houden. Het is echt mijn dag niet. Eerst die wegenwachter die getrouwd was, toen die spetter op het veld die uiteindelijk helemaal geen spetter was en nu dit weer."

„Wat dan?"

„Er stond in dat hij me al drie keer gebeld had, maar dat ik nooit opnam en ook geen voicemail aan had staan, maar hij moest me dringend spreken en of ik hem alsjeblieft wilde bellen."

„Wie?"

„Dat wist ik ook niet. Het was een onbekend nummer," zei Niki, „maar eigenlijk ging ik ervan uit dat het toch Sander was en dat het een stomme smoes was want ik had de telefoon immers de hele tijd bij me, maar achteraf denk ik dat ik hem gewoon niet heb horen overgaan door de herrie in de kantine."

„Dus het was hem niet?" vroeg Sonja.

„Nee, maar dat wist ik niet. Ik belde dat nummer en zei vrolijk 'Hoi hunk', maar toen bleek het de vader van een van mijn leerlingen te zijn om me te vertellen dat zijn dochtertje onverwachts naar het ziekenhuis was gebracht en maandag dus niet op school komt."

„Nee, hè?" De anderen meiden gierden het uit.

„Nou, het is eerder om te huilen," mokte Niki. „Als hij aan de andere ouders vertelt hoe ik door de telefoon doe..."

„Hier, neem maar een schaaltje salade. Daar knap je van op." Celina stak het haar toe en keek haar aan. Ze kon zich goed voorstellen dat Niki wel door de grond wilde zakken toen ze doorhad wie ze aan de telefoon had. Gelukkig was Niki een superoptimist en was ze het voorval beslist over een paar minuten alweer totaal vergeten.

„Dus heb ik de taxi gebeld," ging Niki verder terwijl ze het schaaltje aanpakte. „Ik dacht: Even zeker weten of Dennis werkt, heb ik tenminste iets leuks in het vooruitzicht na al die missers van vandaag. En: hij werkt! Jippie!"

Gelukkig had Niki het schaaltje al aangepakt, anders had Celina het zeker laten vallen. Haar hart ging tekeer. Ze voelde het in haar hals en slapen bonzen. Ze zou Dennis vanavond misschien zien! De kans bestond! En alleen dat was al genoeg om haar van slag te brengen. Eindelijk zou ze hem misschien weer zien. Vier hele weken had ze er al op gewacht, want de vorige keer werkte hij niet of in elk geval had hij hen niet gereden, maar vanavond bestond de mogelijkheid dus... Ze draaide zich om en liep naar de bijkeuken, zodat niemand kon zien hoe erg haar vingers trilden en de vlinders in haar buik fladderden. „Dennis," verzuchtte ze bijna geluidloos. „Het is al voldoende om je alleen maar te zien. Daar kan ik weer weken op teren..."

De rest van de avond hadden ze dolle pret. Celina deed Maaikes haar, stak het losjes op, zodat er wat vrolijke lokken naar beneden vielen. Femke maakte Maaikes gezicht op. Ze had wat gloeiendhete vetspatjes van de frituurpan op haar ene wang gekregen, maar Femke wist precies hoe ze dat met een mengsel van camouflage en lichtgroene corrector kon wegwerken. Knalroze lippen, die bij het knalroze hart voorop haar topje pasten en blauwe eyeliner rond haar bruine ogen. „Luc herkent je niet meer," zei Femke keurend.

Er waren nog drie vriendinnen gekomen, Lindy, Loes en Inge en nadat iedereen elkaar langdurig bewonderd en geholpen had bij het uitkiezen van de juiste outfit, en nadat ze allemaal voldoende gegeten hadden van de pizza's die Sonja in de oven had opgewarmd, stond om klokslag elf uur het taxibusje voor de deur.

„Precies op tijd," zei Femke lachend. „Het bier is op!"

Tot grote teleurstelling van Niki en Celina was het niet Dennis die reed. Niki mopperde hardop tegen de jonge vrouw die achter het stuur zat, maar de taxichauffeuse haalde lachend haar schouders op. „Iederéén wil door Dennis opgehaald worden en dat kan dus niet. Er moeten keuzes gemaakt worden."

„Keuzes. Keuzes!" riep Niki getergd uit. „Er valt toch niets te kiezen als je weet hoe ik eruitzie!" Haar lange oorbellen bungelden wild heen en weer langs haar wangen, maar haar ogen lachten. „Oké, als hij ons dan maar thúisbrengt."

In de discotheek liepen ze, zoals meestal, tegen tientallen bekenden op. De muziek stond hard, het was er warm, maar het bier verkoelde voldoende. Iedereen had het overduidelijk naar de zin. Alleen Celina had moeite om over haar teleurstelling heen te komen.

„Hé, meid, alles goed?" schreeuwde Sonja in haar oor.

„Best, maar ik ga even mijn vestje uitdoen. Veel te warm." Ze liep in de richting van de garderobe, voelde de frisse wind naar binnen komen toen de voordeur openzwaaide en weer dichtviel en besloot haar vestje nog even aan te houden en buiten een frisse neus te gaan halen. Even diep inademen, dacht ze, dan gaat het weer. Diep inademen en alles vergeten. Ze stapte naar buiten, blikte om zich heen en keek plotseling recht in de ogen van Dennis.

Haar hart stond beslist stil. Haar adem stokte in haar keel. Haar benen voelden aan als was. Ze wist dat ze geen stap meer kon verzetten. Dennis! Dennis! Plotseling voelde ze haar hart toch weer slaan, het bonsde den-nis-den-nis-dennis in haar borst. Ze zag dat hij vanachter het stuur van een personenwagen zijn hand naar haar opstak, ze zag dat hij naar haar lachte en haar herkende, maar het was alsof ze naar een film keek, alsof hij daar niet echt was. Het voelde alsof de wereld niet meer bestond, alsof alleen Dennis en zij er nog waren, samen in een luchtbel die langzaam naar de hemel zweefde, en terwijl ze dat voelde, wist ze dat het niet waar kon zijn. Ze droomde, iemand bakte haar een poets. Dennis zat niet achter het stuur. Ze zag spoken. Ze had zo vaak van hem gedroomd, dat ze hem nu ook in werkelijkheid dacht tegen te komen. Dennis! Haar lippen vormden zijn naam, maar er kwam geen geluid uit haar mond. Steek je hand op, sufferd, foeterde ze inwendig op zichzelf. Sta hier niet als een dom schaap naar hem te staren. Wat moet hij wel niet van je denken!

Ze schrok wakker uit de droom door een claxon en zag de rode achterlichten van Dennis' auto om de bocht verdwijnen. „Trut!" riep ze woest. Ze rende weg, om het gebouw heen en bleef naast de grote, blinde muur van de discotheek stilstaan. Met de mouw van haar vestje veegde ze de tranen van haar wangen. „Stomme trut," herhaalde ze zachtjes tegen zichzelf. Hoe had ze zo belachelijk kunnen doen. Hij keek naar haar. Hij herkende haar. Hij lachte zelfs naar haar. En zij stond erbij als een stom, dom schaap. Wat een geluk trouwens dat ze haar nieuwste vestje aan had. Dat was een meevaller. Normaal zag hij haar altijd alleen maar in haar jas, maar nu had hij kunnen zien wat eronder zat en daar was ze zelf heel tevreden over.

„Celina, ben je hier?" Femke was naar buiten gekomen. „Ik

maakte me ongerust. Ik zag je nergens. Sonja zei dat je het warm had en je vestje uit ging doen, maar je was niet bij de garderobe en ook niet op het toilet. Wat is er, joh? Heb je gehuild?"

„Alsjeblieft, Femke, vraag niks, ik kan het je niet vertellen."

„Maar wat ís er dan? Heeft iemand je pijn gedaan?"

„Nee, echt niet. Er is niets gebeurd, ik was alleen maar verdrietig om iets… iets… nou ja, laat maar. Er is echt niets gebeurd."

„Dus niemand heeft je aangeraakt of zo?"

„Nee, echt niet!" Celina keek haar vriendin aan. „Eerlijk niet. Ik was hier helemaal alleen!"

„Oké, dan ga je nu mee naar binnen. In het toilet zal ik je gezicht een beetje bijwerken en dan gaan we er nog eentje drinken. Vanavond zijn we uit. Dit is niet het moment om verdrietig te zijn. Morgen mag je de hele dag verdrietig zijn en ik luister graag naar je. Je mag me echt alles vertellen, hoor."

Celina glimlachte. „Dat weet ik en daarom ben ik ook zo gek op je." Ze liep met Femke mee naar binnen, maar bedacht ondertussen dat ze het toch nooit tegen haar zou zeggen zou.

Op de terugweg rekende Celina er echt niet meer op dat Dennis hen zou rijden. Hij reed immers die nacht in een personenwagen en niet in een taxibusje en zij waren met te veel om in een gewone auto te passen. De verrassing dat hij wel achter het stuur zat, kwam dan ook heel erg onverwachts en opnieuw wist Celina niet hoe ze zich moest gedragen. Gelukkig was het donker in het busje en had iedereen de grootste praatjes, dus viel het niet op dat zij stil naar buiten zat te turen. Lang hield ze dat echter niet vol. Het sneed haar door de ziel om te horen hoe Niki met hem bezig was. Ze draaide haar hoofd om en keek naar de drie mensen op de voorste bank. Natuurlijk zat Niki dicht tegen Dennis aan. Ze zag hoe ze haar hand bewoog en vermoedde dat ze hem op de knie van Dennis legde, maar daar was hij blijkbaar niet van gediend. „Dame, ik rij en jij zit stil, oké?" zei hij opgewekt. Celina hoefde zijn gezicht niet te zien om te weten hoe hij eruitzag. Zijn spetterende donkerbruine ogen zouden fonkelen, want dat deden ze altijd. Fonkelen onder zijn korte, haast zwarte haren die in stekeltjes recht overeind stonden. Zijn gladde gezicht, altijd perfect geschoren, zelfs als hij uren gewerkt had.

„Liefje," zei Niki met een klank in haar stem die iedere man zou doen smelten, „ik heb je vier weken niet gezien. Even mag ik je toch wel aanraken?"

Dennis wierp een snelle blik opzij en grinnikte.

„Waarvoor heb je anders je versierdersbloes aangetrokken?" zei Niki met die nog steeds smeltende stem.

„M'n wat?" Hij was nu toch even van zijn stuk en keek opnieuw opzij.

„Ja, maak mij wat wijs. Je weet heel goed wat ik bedoel. Je hebt speciaal deze witte bloes aangetrokken omdat je daarin nog knapper wordt dan je al bent."

„Joh, dat is gewoon mijn uniform." Dennis schoot in de lach. „Van de baas gekregen."

„Een baas met smaak," lachte Niki met hem mee. „Bestaan die nog? Nee, mij maak je niks wijs. Jíj bent degene met smaak."

„Je zult jezelf bedoelen," zei Dennis grinnikend.

Even viel Niki stil. De anderen in het busje giebelden. Toen had ze hem door. „Precies. Ik heb smaak en daarom wil ik dat je me belt. Toe nou, schatje, ik beloof je dat je er geen spijt van zult krijgen."

Celina hield haar adem in. Ze voelde de jaloezie de kop opsteken. Waarom durfde Niki altijd alles te zeggen wat ze dacht? Waarom durfde ze dat zelf niet? Wanneer kon ze zelf nou eens zo spontaan zijn? Ze voelde echter ook bewondering voor Niki omdát ze zo was. Omdat ze altijd duidelijk aangaf wat ze wilde en ook altijd precies wist wat ze zeggen moest. Ze wilde zo graag net als Niki zijn. Dan waren de rollen misschien omgedraaid geweest en was Dennis voor haar. Nou ja, voor haar... Niki had hem nog niet, maar het was wel Niki geweest die luidkeels geroepen had: „Die is voor mij!" toen ze hem de allereerste keer zagen en daarom voelde Celina zich verplicht zich terug te trekken. Als Niki haar zinnen op hem gezet had, kon zij hem moeilijk proberen te versieren. Dat deed je niet. Ze waren immers vriendinnen en je ging niet de man waar je vriendin een oogje op had, proberen te versieren.

Pas als bleek dat Niki Dennis niet kon krijgen en ze de moed opgaf, was zij aan de beurt, maar dat zou wel nooit gebeuren. Dennis zou immers gek zijn als hij haar koos, terwijl hij Niki kon krijgen! Bovendien was Celina niet goed in het versieren en flirten. Niet zoals Niki dat kon. Dennis zou er dus nooit achterkomen hoe verliefd ze in stilte op hem was. Niemand trouwens. Niemand mocht het weten, want dan hadden ze medelijden met haar en daar zat ze niet op te wachten. Nee, Niki durfde het gevecht aan om hem te versieren, dus Dennis was voor Niki.

Opeens zag ze het helder voor zich. Ze moest hem vergeten. Hij was niet voor haar. En als ze hem aan iémand gunde, dan was het zeker aan Niki. Dat was ook een feit.

„Dus je belt me?" hoorde ze Niki opeens glunderend zeggen. „Beloofd?"

„Ja, ja, als je dan nou maar een stukje opschuift, want zo kan ik niet rijden en je wilt toch zeker wel dat jullie allemaal veilig thuiskomen?"

Celina's wangen gloeiden. Ze voelde de warmte in haar lijf.

Ze had iets gemist, maar dat gaf niet. Het belangrijkste had ze gehoord. Dennis zou Niki bellen.

„Hé, meid, we zijn er!" Ze kreeg een por van Femke en keek verward op.

„O, sorry!" Snel haalde ze een briefje van vijf uit haar jaszak en stak het Sonja toe, die als laatste uit zou stappen en daarom waarschijnlijk de taxi zou betalen. „Dag allemaal," riep ze zo enthousiast mogelijk.

„Ja, hoi en welterusten!" riepen Niki, Sonja, Maaike, Lindy, Loes en Inge uitbundig in koor.

Femke en Celina keken het busje na. Femke grinnikte en schudde haar hoofd. „Ze krijgt hem wel. Het gaat haar lukken. Niki krijgt altijd alles wat ze wil."

3

„Waar ben ik?" Verdwaasd keek Niki om zich heen toen ze de volgende ochtend, of nee, middag, wakker werd. Ze herkende de kamer niet en had moeite zich te concentreren. Ze hoorde water stromen en vermoedde dat er iemand onder de douche stond. Kreunend kwam ze overeind. Zag haar kleren op een stoel liggen, haar rugzakje lag ernaast. Opeens wist ze het weer. Ze grinnikte. Ze was bij Sonja blijven slapen. Sjonge, wat een paniek. Alles stond weer haarscherp op haar netvlies getekend en ze schoot zo in de lach, dat ze niet meer op kon houden.

„Wat is er met jou?" Sonja keek om het hoekje van de deur. Haar lange blonde, steile haren drupten nog na van het douchewater, de omgeslagen handdoek hield ze vast voor haar borsten.

„Ik moest weer aan vannacht denken," schaterde Niki.

„Hou op, hè!" riep Sonja uit. „Je vertelt het niet verder!"

„Natuurlijk niet. Ik zeg niets. Kan ik ook douchen?" Nog hinnikend van de slappe lach, klom ze uit het bed, trok haar T-shirt uit en liep op Sonja af.

„Er ligt een schone handdoek op het krukje in de badkamer," zei Sonja. „Koffie of thee?"

„Doe maar koffie, lijkt me wel zo verstandig," lachte Niki, terwijl ze in de badkamer verdween.

Sonja trok een ochtendjas aan en pakte een tweede uit haar kast. „Niki! Ik kom even binnen!" Ze deed de deur open. „Ik hang een ochtendjas voor je aan het haakje aan de deur," riep ze tegen het douchegordijn.

„Hm, prima," mompelde Niki, die duidelijk genoot van het hete water.

Sonja liep de trap af, pakte automatisch haar mobiele telefoon uit haar jaszak en liep naar de keuken, waar ze het koffiezetapparaat vulde en aanzette. Drie berichten ontvangen? Wat was er aan de hand? Ze liet zich op een stoel bij de keukentafel zakken en keek verbaasd naar de afzenders. Femke, Maaike en Lindy? Wat moesten die zo vroeg van haar?

'Te diep in het glaasje gekeken, zeker.'

'Dat je bang was dat ie je wat zou doen! Dat is toch precies wat je eigenlijk zou willen!'

'Kans op triootje verkeken, suffie!'

Waar hadden ze het over? Opeens begreep ze het. Verdikkie! Geërgerd kwam ze overeind en wilde de gang in lopen, maar Niki gooide de deur al open. „Dat ruikt goed. Waar staan de mokken?"

„Jij rotmeid," zei Sonja boos. „Je hebt me beloofd niets verder te vertellen."

„Ha, dat had je dan vannacht al moeten zeggen en niet pas net!" zei Niki vrolijk. Ze begreep meteen waar Sonja op doelde, omdat ze haar mobieltje nog in haar hand had. „Sms'jes gehad?" Ze gniffelde. „Nou, waar staan die mokken. Ik wil koffie!"

„Heb je dan nog vóór je ging slapen sms'jes zitten versturen? Ik dacht dat je amper het bed zou halen."

Niki gaf geen antwoord, maar pakte grijnzend een paar mokken uit het keukenkastje en schonk ze vol. Ze vond de suiker en deed in beide mokken twee flinke scheppen. In een keukenla vond ze de theelepeltjes. Ze ging bij Sonja zitten en keek haar lachend aan.

„Jij hebt wallen onder je ogen," zei Sonja.

„Dat meen je niet!" Niki vloog overeind en rende naar de gang, waar ze een spiegel had zien hangen. „Nou, dat valt best mee, hoor!" Ze kwam verontwaardigd de keuken weer in.

Sonja haalde lachend haar schouders op. „Ik moet toch iets verzinnen om je terug te pakken."

„Haha!" Op dat moment ging Sonja's telefoon over. „Celina," zei ze. „Hoi!" riep ze in de telefoon. „Ook wakker? Was gezellig, hè?" Door meteen zelf maar vragen te gaan stellen, hoopte ze te voorkomen dat Celina het zou doen, maar haar tactiek mislukte.

„Wat was dat nou?" vroeg Celina. „Had je een man in huis? Vertel!"

„Niks aan de hand, joh," weerde Sonja af, maar Niki greep haar de telefoon uit handen. „Wel, hoor! Het was echt lachen, gieren, brullen! Ze was volkomen in paniek." Ze bukte zich om de mep van Sonja te ontwijken. „We bleven als laatsten over. Iedereen was thuisgebracht. Ik zou bij Sonja blijven slapen. Dennis reed ons netjes voor en ik betaalde en wilde uitstappen, maar Sonja zat nog in haar tasje te rommelen. 'Mijn sleutel,' zei ze nijdig en gooide bijna de hele inhoud uit haar tasje op de stoel naast haar. Wat dat kind daar allemaal in heeft zitten. Je wilt het niet weten!" Weer ontweek ze lachend een mep van Sonja.

„Eindelijk vond ze de sleutel. Ze wilde uitstappen, maar gaf opeens een gil en in het kleine lampje van de taxi kon ik zien dat ze lijkbleek werd. 'Wat is er?' riep ik. Ze stamelde iets wat niemand kon verstaan. 'Wat ís er nou, joh?' vroeg ik nog een keer. 'L-l-l-licht,' zei ze met grote ogen van angst. 'Ja,' zei Dennis grijnzend, 'het begint al licht te worden.' Maar dat was het niet. Ze wees met een trillende vinger naar haar huis. 'Er brandt licht in huis. Er is iemand binnen.' Ze durfde het busje niet meer uit te stappen. 'D-D-Dennis,' stotterde ze, 'je-je-je moet mee naar binnen.' Dennis schoot in de lach. 'Ik had nooit gedacht dat je zo bang voor mannen was,' zei hij. 'Jullie zijn nog wel met zijn tweeën.' Maar bij Sonja brak paniek uit. 'Bel de politie dan of de brandweer, maar dóe iets!' riep ze tegen hem. Ze werd gewoon hysterisch en dat werkte best besmettelijk. Ik had opeens ook geen zin meer om dat huis in te gaan.

Dennis vroeg of het geen familie kon zijn, maar dat kon niet. Haar moeder zou absoluut niet eerder thuiskomen dan vanavond laat en verder had niemand een sleutel. 'Stel dat het een verkrachter is,' fluisterde Sonja en dat had ze dus niet moeten zeggen, want toen sloegen bij mij ook de stoppen door. Ik pakte Dennis bij zijn arm en zei dat hij iets moest doen. Hij knikte en zei via dat ding, die mobilofoon of zo, tegen zijn baas dat hij even aan de Hoofdweg 21 in Veldhuizen naar binnenging, omdat er misschien iets niet in orde was. Als hij binnen vijf minuten niet had teruggebeld, moest de centrale meteen de politie eropaf sturen."

„Dapper, hé," zei Celina bewonderend.

„Yep. Ik wist wel dat we op Dennis konden rekenen. Zo'n type is hij wel. Sonja gaf hem de sleutel en we grepen allebei een arm van hem en verscholen ons achter zijn brede rug, terwijl hij de sleutel in de voordeur stak. We stonden helemaal te bibberen." Niki schaterde bij de herinnering.

„En?" vroeg Celina met ingehouden adem.

„Er was niemand. We stapten naar binnen en toen herinnerde Sonja zich dat ze zelf het licht had aangelaten, anders was het zo donker als we terugkwamen en dat vond ze eng. Normaal liet haar moeder altijd een lampje branden, maar omdat die er niet was..."

„Prachtig!" lachte Celina. „Wat een verhaal! Dat ga ik aan Femke vertellen. Hoi, hè!" Ze hing op, nog voordat Niki iets terug had kunnen zeggen.

„Wat heb je ze ge-sms't?" vroeg Sonja boos, maar haar ogen lachten. Het was natuurlijk ook wel een te gekke situatie geweest, zoals ze trillend over haar hele lichaam met twee handen Dennis' arm had fijn geknepen omdat ze echt doodsbang was, terwijl ze de lamp juist had laten branden om niét bang te zijn.

„Weet ik niet meer," zei Niki gniffelend. Ze stond op om nog eens koffie in te schenken. „Ik was aangeschoten, doodmoe, opgewonden doordat ik naast Dennis had gezeten en helemaal zenuwachtig door jouw paniekerige gedoe. Ik weet echt niet meer wat ik verstuurd heb."

„Maar je was dus nog wel in staat óm sms'jes te versturen."

„Blijkbaar. Heb je ook een boterham in huis? Ik heb trek."

„Tuurlijk." Sonja stond op en zette wat dingen om te eten op tafel. Het eten werd een paar keer onderbroken omdat iedereen belde om het verhaal zelf uit de eerste hand te horen.

Rond vier uur stond Niki op. „Ik ga me aankleden en dan ben ik weg. Ik denk dat Dennis nu ook wel wakker is en ik ben liever thuis dan hier als hij belt. Daar heb ik geen luistervink bij nodig. Bovendien moet ik even serieus nadenken wat ik morgen in de klas vertel over dat zieke meisje. Ik denk dat we maar met zijn allen een grote tekening voor haar moeten maken."

Ze namen hartelijk afscheid en zeiden tegelijk: „Tot over twee weken." Hun vriendinnenweekend zat er weer op, het was waanzinnig leuk geweest, maar het allerleukste moest nog komen, dacht Niki met glunderende ogen, terwijl ze het centrum van de stad in reed op weg naar haar bovenetage. Met een opgewonden en blij gevoel wierp ze een blik op de mobiele telefoon die ze naast zich op de passagiersstoel had gelegd. Helaas kwam er nog geen geluid uit.

Maaike stond bijna te huppelen op de stoep voor haar huisje. Opgewonden en gespannen keek ze de straat in of Luc er al aankwam. Hij had die dag zulke geheimzinnige sms'jes gestuurd en haar gewoon gedwongen om precies om vijf uur klaar te staan. Nu stond ze te popelen van nieuwsgierigheid.

Ja, daar zag ze hem. Met een sprongetje was ze bij zijn

auto, rukte het portier open en liet zich op de stoel vallen. Ze boog zich stralend naar hem toe en hun begroeting was adembenemend, maar al vrij snel duwde Maaike zijn armen weg. „Vertel," zei ze. „Ik wil het nú weten!"

Luc grijnsde en reed weg. „Geduld, lief. Gewoon nog tien minuten afwachten."

„Nóg tien minuten?" riep ze uit. „Dat lukt me echt niet. Je hebt het zo spannend gemaakt met je sms'jes, ik was helemaal de kluts kwijt. Bijna had ik op mijn werk de verkeerde patiënt een injectie gegeven."

„Heerlijk!"

„Wat, héérlijk? Dat had me mijn baan gekost, weet je," zei Maaike veel feller dan ze bedoelde, maar ze was zo gespannen dat ze zich niet meer kon beheersen.

„Ik bedoel: heerlijk dat ik je nog zo in de war kan brengen," zei hij met een warme glimlach rond zijn lippen.

Ze keek naar hem en voelde de warmte van zijn lach op haar overslaan. „Ik hou van je," zei ze spontaan en legde een hand op zijn mouw. Even ontmoetten hun blikken elkaar, maar snel keek Luc weer naar de weg voor zich. Maaike bleef naar hem kijken en wist dat ze echt van hem hield. Van zijn blonde haar, dat in krullende lokken rond zijn hoofd danste en nog vochtig was van de douche na zijn werk. Van zijn diepblauwe ogen, die haar zó verliefd aan konden kijken dat ze telkens weer voor hem smolt. „Je hebt je nieuwe jas aan," zei ze, terwijl ze de ruige stof van zijn zwart-rood geruite jas streelde. Het bont langs de capuchon had precies dezelfde kleur als zijn haar en stond hem daarom echt te gek. Ze tilde haar hand op en liet die aan de voorkant van zijn jas naar binnen glijden. Ze voelde de gladde stof van de blauwe trui die hij daaronder droeg.

„Ga je lekker?" vroeg hij, maar de glimlach op zijn gezicht was warmer geworden.

„Als je niet heel gauw vertelt wat er aan de hand is, dan zorg ik er wel voor dat je het me helemáál niet meer vertelt," zei ze met hese stem.

„Ha, daar krijg je dan eeuwig spijt van."

Ze trok haar hand terug en keek hem onderzoekend aan. „Is het echt zo belangrijk?"

„Ja!"

„Maar wát kan er dan toch zo belangrijk zijn? Ik loop me de hele dag al suf te piekeren. Toe nou, Luc, zeg het nou!"

„Nog twee minuten. Wacht even, eh... ja, hier is het geloof ik."

Maaike keek naar buiten. „Waar zijn we eigenlijk?"

„Heb je niet opgelet?"

„Nee, zeg, met zo'n lijf naast me, zeker."

Snel drukte hij een kusje op haar neus. „Pas op!" riep hij, maar de waarschuwing kwam iets te laat. Maaike stootte haar hoofd tegen het zijraam van de auto.

„Moet dat?" riep ze uit.

„Tja, er is geen andere weg dan dit zandpad vol kuilen. We zijn trouwens achter de fabriek. Als je achterom kijkt, zie je nog net de Hoofdweg."

Maaike keek achterom om zich te oriënteren, maar hield zich met twee handen vast om niet weer met haar hoofd ergens tegenaan te knallen. „Het wordt vast een bult," zei ze.

„Zeker weten dat je het ervoor over hebt!"

„O?"

Luc remde af en reed de laatste honderd meter met een slakkengangetje van 10 km per uur. Toen stopte hij. „De rest zullen we moeten lopen, anders blijven we vastzitten en komen we nooit meer thuis."

„Lopen?" Maaike keek naar haar lange, witte laarzen, naar de hakjes die eronder zaten. Ze aarzelde en bleef even zitten, terwijl ze Luc energiek zag uitstappen. Hij haalde iets uit de kofferbak en vervolgens vloog het portier aan haar kant open.

„Daar was ik op voorbereid," zei hij lachend en stak haar twee groene rubberlaarzen toe.

„Oké dan," zei ze en begon haar witte laarzen uit te trekken. Bij het uitstappen stapte ze in de rubberlaarzen, deed het portier dicht en keek hem vragend aan.

„Kom," zei hij opgetogen en sloeg een arm om haar heen. Ze kroop dicht tegen hem aan. Voelde de warmte van zijn lichaam tegen het hare en rook de geur van zijn aftershave. Niets begrijpend liet ze zich door hem voortduwen door de zanderige, modderige vlakte die uiteindelijk uitkwam op een groot weiland, waar ze koeienvlaaien zag liggen.

Ze wilde net haar mond opendoen om te vragen wat ze hier in hemelsnaam toch moesten, toen hij stilhield en haar een eindje van zich afduwde. „Ta-taaa!" tetterde hij, terwijl hij triomfantelijk een weidse beweging met zijn arm maakte.

Ze keek vragend om zich heen. „Wat nou ta-taaa? Ik zie alleen maar modder en koeienvlaaien." Ze trok haar neus op.

„Zie je dat paaltje daar?" Hij wees zo'n honderd meter verderop. „En daar staat er nog een. Achter die paaltjes gaat de gemeente een grote vijver aanleggen."

„O?"

„En zie je die kleine paaltjes in de grond?" Hij wees naar een paaltje vlak voor hen dat amper tien centimeter boven de grond uitstak. „Hier gaan wij wonen."

„Hè?" Ze keek hem met open mond aan, maar het drong niet tot haar door wat hij bedoelde. „Luc? Wat ís er toch?"

„Hier zijn bouwkavels te koop," zei hij met een stralende lach, „en deze wil ik hebben. Hier gaan wij wonen, schat! Vierhonderd vierkante meter voor ons tweetjes. Nou, wat zeg je ervan?"

Honderden vragen vlogen door Maaikes hoofd, maar ze

kon er niet één over haar lippen krijgen.
„Hé, zeg eens wat. Vind je het niet geweldig?"
„Maar... Wat... ?"
„Ja, wat? Ik dacht dat je door het dolle heen zou zijn," riep hij uit. „Maaike, wat ís er?" Hij greep haar met beide handen beet.
Ze keek hem hulpeloos aan. „Hier..." begon ze, maar ze kon nog steeds niet uit haar woorden komen. Ging hij een huis bouwen? Hét huis? En gingen ze dan samenwonen? Maar hier? In deze troep? En zo achteraf? „Waarom heb ik niets in te brengen?" sprak ze opeens een vraag uit die ze nog helemaal niet bedacht had. Het overrompelde haar zelf.
„In te brengen? Hoe bedoel je?"
„Waarom hier in niemandsland? Heb ík daar niets over te zeggen?" Ze merkte dat ze boos werd en dat wílde ze helemaal niet, maar hij had haar zo verrast dat ze echt even helemaal de kluts kwijt was.
„Dit is straks geen niemandsland meer. Hier komen vijftien huizen te staan. Er zijn vijftien bouwkavels en ik heb me voor dit stukje ingeschreven."
„Maar waarom zonder te overleggen?"
„Ik wilde je verrassen. Ik dacht echt dat je dolblij zou zijn. Je wilt toch al eeuwen met me samenwonen?"
„Dus dan gaan we samenwonen?"
„Natuurlijk! Maaike, wat ís er toch? Ik heb altijd gezegd dat we dat zouden doen als ik het huis gebouwd had en nu kan ik de grond kopen!"
„Ik, ik, ik," mopperde ze. „Waarom niet wíj?"
„Ik ga het bouwen en wíj gaan er wonen. Zo goed?"
„Nee!" Plotseling stampte ze met een rubberlaars op de grond. Zand stoof op. „Ik wil meebeslissen en meedenken. Ik wil óók wat te zeggen hebben."
Hij keek haar perplex aan. „Maar je weet toch al zo lang dat

ik eerst dat huis wil bouwen? De tekening ligt al jaren vast. Daar valt niet meer over te denken of te beslissen."

„Dat weet ik wel," mokte ze, „maar waarom hiér? Daar had ik over mee kunnen beslissen!"

„Ik wilde je alleen maar verrassen," zei hij uit het veld geslagen. „Ik wou je zo graag blij maken. Bovendien, ik heb het nog niet gekocht. Ik heb me alleen maar ingeschreven en honderd procent zeker is het ook nog niet. Als er meer mensen zijn die juist dit stuk willen hebben, dan moet er geloot worden. Kom, Maaike, geef me je hand en loop mee, dan zal ik je alles laten zien."

Ze keek hem aan. Ze zag de warme blik in zijn ogen en zuchtte. „Je overviel me," zei ze. „Ik was er niet op voorbereid." Ze stak echter wel haar hand uit en hij pakte hem.

„Kijk," begon hij enthousiast naar een klein paaltje wijzend. „Dit is de ene hoek van de kavel." Hij trok haar mee naar het volgende paaltje. „En dit de tweede hoek." Samen liepen ze om de kavel heen. „En hier komt dus de vijver van de gemeente. Onze tuin grenst aan die vijver. Is dat niet geweldig? Stel je voor, op een zwoele zomeravond kunnen wij zomaar vanuit ons huis naar de vijver lopen en lekker in het gras bij het water gaan zitten. Lijkt je dat niet waanzinnig gaaf?" Hij trok haar verder mee en wees aan waar de andere kavels lagen. „We krijgen een vrijstaand huis met een tuin voor, achter en aan de zijkanten. Natuurlijk komt er een geasfalteerde weg naar deze wijk toe. Alle zand en modder en koeienvlaaien zijn straks verdwenen. Nou, wat vind je er nu van?"

Ze keek in zijn enthousiaste gezicht en voelde dat haar protest verdween als sneeuw voor de zon. „Ik kan nooit tegen jou op," zei ze glimlachend. „Je bent gewoon te lief."

„Als je het niet wilt, moet je het zeggen, dus. Ik heb nog niets betaald of definitief ondertekend."

Ze knikte. „Het is wel goed. Het is dicht bij het dorp, dicht bij onze vrienden en familie, maar ik heb wel één voorwaarde."

„O?"

„Dat we gaan trouwen."

„Maaike..." Heel even betrok zijn gezicht, toen trok hij haar tegen zich aan. Hij mompelde iets onverstaanbaars in haar haren.

„Was dat nou een ja of een nee?" Ze duwde hem van zich af om hem te kunnen zien.

Hij zuchtte. „Je weet hoe ik over trouwen denk. Mijn ouders..."

„Ja, ik weet hoe je erover denkt, maar je hebt toch niets met je ouders te maken? Dit wordt jóuw huwelijk en het ligt aan jou en mij hoe het verloopt. Wij zijn je ouders niet. Wij kunnen het juist helemaal anders doen. Wij gaan gewoon niet scheiden! Toe, trouw met me. Voor mij is dat veel mooier dan alleen maar samenwonen."

Hij keek haar aarzelend aan, zag haar lieve ogen en knikte. „Goed dan. Ik weet dat het belangrijk voor je is."

„Luc!" Ze sprong tegen hem aan en hij ving haar op, tilde haar hoog de lucht in en draaide een rondje met haar in het zand en de modder.

„We gaan trouwen!" gilde ze de ruimte in.

„Maar eerst bouwen!" riep hij erachteraan.

„Bouwen en trouwen," zei ze met een verheerlijkte blik in haar ogen. „Ik hou van je, Luc. Ik hou echt van je!"

Hij zette haar weer neer. Hun lippen vonden elkaar in een tedere zoen, maar plotseling hield hij op en trok hij haar mee. Hij keek naar de grond en lachte. „Ja, hier staan we wel zo'n beetje voor de drempel van ons huis." Hij tilde haar op, deed een grote stap over de denkbeeldige drempel heen en hield haar dicht tegen zich aan terwijl hun lippen elkaar opnieuw ontmoetten. „Zo," zei hij minuten later, „dat hebben we tenminste vast gehad."

Maaike lachte. „Toch wou ik nog één ding zeggen. Dit wordt jóuw droomhuis, maar het wordt míjn droombruiloft."

„Wat bedoel je?" Hij keek haar angstig aan.

„Jij wilt een badkamer met bubbelbad en een aparte douche en twee toiletten in huis. Ik wil stapels bruidsmeisjes en een bruidstaart en..."

„Nee, hè, alsjeblieft niet, Maaike."

„En rijst en een goeie band en de eerste dans met jou."

„Maaike!"

„Of hoef jij dan niet die dubbele garage met kanteldeuren en een buitenkraan om de tuin te sproeien en een terrasje hier en een terrasje daar en een bijkeuken en een fietsenschuurtje en..."

„Hou op!" onderbrak hij haar. „Het is al goed."

„En een meidenavond vooraf en een bruidsboeket natuurlijk en schitterende uitnodigingen en iedereen mag mee-eten en..."

Verder kwam ze niet, want Luc snoerde haar de mond met de zijne.

„Kreeg jij ook een sms'je van Maaike?" vroeg Celina toen ze thuiskwam.

Femke was in de keuken bezig slablaadjes te mengen met stukjes appel en sinaasappel en keek lachend op. „Ja, wat zou er toch aan de hand zijn? Ik heb haar net gebeld, maar ze wil niets kwijt."

„Geheimzinnig, hoor," vond Celina. „Zeg, dat ziet er heerlijk uit."

„Er is genoeg voor twee. Ik wou je trouwens toch vanavond gebruiken," zei Femke.

„Gebruiken?" Celina lachte. „Hoe bedoel je?"
„Ik heb nieuwe monsters meegekregen van het werk en die wou ik op jou uitproberen."
„Enge monsters?"
„Nee, flauwerd, geen enge monsters. Gezichtsmaskers. Een nieuw merk dat ze in de salon willen gaan gebruiken, maar ze willen eerst weten hoe het aanvoelt en of het ook werkt."
„Hm, en je vond dat ik wel een maskertje nodig had." Celina gleed met de vingertoppen over haar gezicht.
„Je kunt niet vroeg genoeg beginnen met het voorkomen van rimpels. Zal ik er schijfjes aardappel bij doen of heb je liever patatjes?" vroeg Femke.
„Sjonge, je hebt er wel wat voor over om mij als proefkonijn te gebruiken."
„Volgens mij vind jij het best lekker als ik wat aan je gezicht zit te frunniken."
„Alleen maar als ik mijn ogen dicht mag doen en dromen dat het iemand anders is, die het doet."
„Aha, dus daarom kijk je altijd zo verheerlijkt." Sonja lachte en zette de frituurpan aan. „Nou, schijfjes of patatjes?"
„Schijfjes en ik ga Sonja even bellen. Misschien dat zij meer weet. Zij woont tenslotte het dichtst bij Maaike in de buurt."
„Een kwartier, dan staat het eten op tafel."
Celina liep de twee trappen op die naar haar zolderverdieping leidden, gooide haar tasje op het bed en liet zich er languit naast vallen. Ze keek tevreden om zich heen. Ze hield van deze kamer. Hij werd steeds meer echt van haar. In het begin had ze nog niet zoveel geld gehad, maar in de afgelopen jaren had ze steeds meer spulletjes gekocht die haar eigen smaak waren en de ruime zit-slaapkamer deed gezellig en warm aan. Haar nieuwste aanwinst was de computertafel

die het geheel compleet maakte. Toen ze die nog niet had, stond de computer op de kleine eettafel, maar daar stond hij eigenlijk altijd in de weg.

Haar blik bleef op de wand hangen waaraan een soort van houten rek hing met tientallen vakjes. Het was het rek met vakantiesouvenirs en in elk vakje stond wel iets wat haar met warmte terug deed denken. Spanje was haar favoriete land. Daar was ze tot nu toe het meest geweest. Altijd met een paar vriendinnen en altijd hadden ze lol gehad.

Helemaal links onderin zat haar knuffelbeer in een vakje. Hij had nog maar één oog en zijn ene oortje hing los. Ze had dat best kunnen repareren, maar dat wilde ze niet. Ze kende hem nauwelijks nog anders dan als eenoog met een los oor. Heel soms, als ze echt verdrietig was, mocht hij even uit zijn vakje, maar dat was echt maar heel soms. Ze glimlachte naar het dier, dat haar deed terugdenken aan haar kinderjaren.

Met haar hand zocht ze over het felgekleurde, gestreepte dekbed naar haar tasje en haalde er haar mobiele telefoon uit. Ze toetste Sonja in en even later hoorde ze haar vriendin opnemen. „Hoeveel potten heb je al gebroken?" vroeg Celina.

„Nou ja, zeg! Wat is dat nou voor een vraag," riep Sonja gepikeerd uit.

„Joh, ik plaag je maar. Ik bedoel gewoon: hoe bevalt het bij de pottenbakker?"

„Hm."

„Da's duidelijk," lachte Celina. „Zeg, weet jij wat er met Maaike is?"

„Geen idee, maar ik denk dat ik maar eens wat mannen van de voetbal ga bellen, want Maaike wil niets zeggen. Misschien heeft Luc wél zijn mond voorbij gepraat."

„Slim, zeg. Bel je dan straks terug als je wat weet?"

„Tuurlijk! Meteen. Ik ben net zo nieuwsgierig als jij."

Toen Celina even later weer naar beneden liep, kwam de geur van gebraden vlees haar tegemoet. „Dat ruikt echt lekker. Ik krijg er gewoon honger van!"

„Ga zitten dan en laat je bedienen," zei Femke lachend. „Wist Sonja wat?"

„Ook niet, maar ze gaat op onderzoek uit en belt straks terug."

Celina keek toe hoe Femke borden en bestek op de kleine keukentafel zette. Meestal aten ze apart en zorgden ze voor hun eigen eten. Ze hielden allebei van hun vrijheid. Bovendien werkte Femke vaak tot zeven of acht uur in de schoonheidssalon, terwijl Celina altijd om zes uur klaar was bij de kapperszaak. Behalve op koopavond natuurlijk. Dan werkten ze allebei tot negen uur.

„Gezellig," zei ze gemeend, toen Femke tegenover haar ging zitten en de pan met twee biefstukjes naar haar toeschoof.

„Gezellig én lekker," zei Femke opgewekt. „Ik moet je nog iets grappigs vertellen. Ik had vandaag een man in behandeling."

„Een man?"

„Ja, het schijnt wel vaker voor te komen, maar voor mij was het de eerste keer. Echt heel vreemd, joh." Femke lachte.

„Wat moest hij?"

„Nou, het was geen overbodige luxe, daar had hij gelijk in. Hij was nogal behaard."

Zag Celina het goed? Kleurde ze?

„Hij had enorme borstels van wenkbrauwen," ging Femke verder. „Die moest ik epileren."

„Ik wist niet dat mannen dat deden."

„Ik ook niet, maar hij zag er een stuk knapper uit toen ik met hem klaar was dan voor die tijd. Het was alleen..."

Nu wist Celina het zeker. Femke kleurde. „Nou?" vroeg ze gespannen.

„Ik ben het niet gewend, joh, met mannen. Ik stond natuurlijk de hele tijd vreselijk dicht bij hem en raakte zijn gezicht de hele tijd aan. Ik deed het zo voorzichtig mogelijk, maar daardoor werd het haast nog intiemer en hij had de bovenste twee knoopjes van zijn overhemd open staan en ik zag zijn borstharen eruit komen en…"

„Je werd verliefd," stelde Celina vast.

„Helemaal niet! Ik word niet verliefd op een paar borstharen! Maar de sfeer was zo… Ja, intiem. Ik ben nooit zo intiem met een wildvreemde man…"

„En je kreeg er nog voor betaald ook," lachte Celina.

„Ook dat nog." Femke lachte met haar mee.

„Hoe oud was ie?"

„Ik schat zo'n zes-, zevenentwintig."

„Perfecte leeftijd dus."

„Dat wel, maar…" aarzelde Femke.

„Wat maar?"

„Niks." Ze haalde lachend haar schouders op. „Smaakt het?"

„Heerlijk. Vooral die sla. Echt lekker met die stukjes sinaasappel erdoor. Zo fris! Ik blijf alleen de hele tijd aan Maaike denken. Waarom moeten we zaterdag een halfuur eerder komen en niet op het voetbalveld, maar bij haar thuis?"

„Verrassing, zei ze."

„Ja, maar…" Celina schudde haar hoofd. „Ik snap er niets van. Trouwens, de keer daarop gaan we naar de stad, of niet?"

„Ja."

„Leuk," vond Celina. „Daar verheug ik me al op. Niki zei dat ze een nieuwe kroeg ontdekt had, waar we nog nooit geweest waren. Weer eens wat anders dan 'Crosspoint'."

„Hm," was alles wat Femke zei.

„Vind jij het niet leuk dan?"

„Normaal gesproken wel. De sfeer is heel anders in de stad dan hier en ik vind het ook leuk om van kroeg naar kroeg te gaan, maar..."

„Maar?"

„Dan zie ik Benny niet."

„Wie?" Celina keek haar met grote ogen aan.

„Dj Benny."

„Wie is dát nou weer?"

„Die draait sinds kort bij 'Crosspoint'. Ik heb hem nu twee keer gezien. Echt een mooie gozer, joh. Van die opvallend donkere ogen en lange, slanke vingers. Ik zag hem bezig achter de draaitafel..." Femke keek dromerig langs Celina heen.

„Je bent verliefd! En dat vertel je me niet eens!"

„Jij vertelt me ook niet alles."

„Hoe bedoel je?" Celina keek haar volkomen onschuldig aan, omdat ze even echt niet wist waar Femke op doelde.

„Je bent soms helemaal afwezig, diep in gedachten verzonken. Volgens mij ben jíj verliefd, maar jij zegt ook niet op wie."

Celina kreeg een kleur. Ze wist niet dat het zo opvallend was. Help! Dat mocht niet. Bovendien, het was voorbij. Ze had al dagen niet meer aan Dennis gedacht, want hij was voor Niki. Daar had ze zich immers definitief bij neergelegd. Nou ja, dagen... Vijf minuten per dag had ze zichzelf toegestaan aan hem te denken. Langer niet. En dat lukte redelijk. Hoewel – wat was redelijk?

Ze zuchtte. „Je hebt gelijk," gaf ze eerlijk toe, „maar het is over. Het stelde niets voor." Ze probeerde te glimlachen en was blij dat Femke op dat moment opstond om de lege borden op het aanrecht te zetten zodat ze de blik in haar ogen niet kon zien. Zelf stond ze ook op om haar vriendin te helpen bij de afwas. „Is het die man met die pet?"

Femke schoot in de lach. „Ja, een pet heeft hij inderdaad op, dus ik weet nog steeds niet wat voor haar eronder zit, maar er zijn meer dj's met een pet op."

„Je moet hem me zaterdag maar even aanwijzen. Ik ben heel benieuwd. Heb je hem al gesproken?"

„Die kans heb ik nog niet gekregen," verzuchtte Femke. „Er zijn meer kapers op de kust."

„Dan gaan we daar zaterdag voor zorgen," zei Celina opgewekt.

„Poeh! Laat die afwas trouwens maar staan, die doe ik wel als het masker op je gezicht zit. Dat moet vijftien minuten intrekken, dus dan heb ik toch niets te doen. Kom op, mee naar boven."

Daar had Femke een kamer ingericht als schoonheidssalon, want het was niet alleen haar beroep, het was ook haar grootste hobby en ze gaf er regelmatig een behandeling aan een van haar vriendinnen. Celina ging in de behandelstoel zitten en legde haar hoofd tegen de rugleuning. Ze voelde hoe Femke de stoel langzaam achterover liet zakken, zodat ze uiteindelijk met haar benen gestrekt lag in een heel prettige houding.

„Eerst deze peeling," zei Femke. „Het is een plantenextract. Bedoeld om je huid diepgaand te reinigen. Ogen dicht. Het moet nauwkeurig ingemasseerd worden."

Celina voelde Femkes vingers over haar wangen en voorhoofd glijden en deed wat ze altijd deed als ze bij Femke in de stoel zat: dromen dat het de vingers van een man waren...

„Nu het spul weer verwijderen en dan komt het masker. Het ruikt best lekker, vind je niet?" vroeg Femke.

„Ja en het voelt ook prettig aan of moet je dat niet weten?"

„Ik moet alles weten."

„Alles?"

„Ja, maar nu niet," zei Femke lachend. „Nu moet je je zo stil mogelijk houden, want ik breng het masker aan en daarna moet je dus vijftien minuten onbeweeglijk zitten. Het wordt een soort vlies dat ik er straks weer af moet trekken, maar als je beweegt, wordt het niks."

„Oké, ik zeg al niets meer."

Zorgvuldig bracht Femke de crème in een dun laagje op Celina's gezicht aan. Juist toen ze klaar was, hoorde ze een vrolijk muziekje.

„Euhhh!" kreunde Celina, terwijl haar hand naar haar broekzak ging en ze haar telefoontje tevoorschijn haalde.

„Geef hier," zei Femke en pakte het toestel van haar af. „Het is Sonja. Die neem ik wel even. Hoi, met Femke, Celina mag vijftien minuten niks zeggen."

„Wat?" riep Sonja verbaasd uit. „Zit ze in de strafhoek?"

Femke begon te giechelen. „Leuk idee, maar helaas niet, nee. Ik heb haar net een maskertje gegeven."

„Een maskertje? Heb je voor mij ook zoiets? Ik zie er niet uit. Bij die pottenbakker stuift het voortdurend. Ik voel me soms zo grauw."

„Kom maar snel. Het is een nieuw merk en ik kan nog wel een proefkonijn gebruiken."

„Meumeu," protesteerde Celina met haar lippen op elkaar.

„Wacht!" gilde Femke nog snel in de telefoon. „Weet je iets over Maaike?"

„Ja! Super! Maar dat vertel ik straks wel."

„Super?" Femke keek van het telefoontje dat de ingesprekstoon piepte naar Celina die moeite had haar ogen gesloten te houden. „Het is super bij Maaike, maar wát?"

Celina vouwde haar handen en hield ze omhoog.

„Gaan ze samenwonen?" vroeg Femke perplex. „Bedoel je dat?"

„Ja!” riep Celina.
„Nee!” gilde Femke. „Nou kunnen we weer opnieuw beginnen! Je mocht niet bewegen!”

4

Die zaterdag verzamelde zich een grote groep vriendinnen bij Maaike voor de deur, precies een halfuur voordat de voetbalwedstrijd begon. Het gerucht dat Maaike en Luc eindelijk gingen samenwonen, had zich als een lopend vuurtje door het dorp verspreid. Helemáál omdat Luc zijn mond niet had kunnen houden over het feit dat hij een bouwkavel ging kopen. Nu wilde iedereen er het fijne van weten.

Maaike keek glunderend naar alle vrouwen om zich heen. Ze had vier witte rozen in haar hand en zwaaide ermee. „Zo, zelfs Niki is op tijd! Geen lekke band vandaag?" Ze grinnikte.

„Niet eens," zei Niki. Ook zij grinnikte. „Zelfs die mooie agent zag me niet, terwijl ik nog wel zo mijn best deed om aangehouden te worden door extra hard te rijden."

„Om aangehouden te worden?" herhaalde Sonja lachend.

„Ja, waarom zou ik anders zo hard rijden? Jullie zijn gewend dat ik te laat kom, dus daar hoefde ik het niet voor te doen." Haar ogen glinsterden van plezier.

„Jij bent niet goed snik," vond Maaike, „maar nu we er allemaal zijn, kunnen we instappen en wegwezen. Ik rij voorop. Iemand die een lift wil?"

De vrouwen keken elkaar verbaasd aan. Waar gingen ze naartoe? Wat wás er toch met Maaike? Maar niemand protesteerde. Ze stapten allemaal gehoorzaam in. Ze waren veel te nieuwsgierig. Celina liep met Femke mee. Ze waren samen met haar auto gekomen. Malin kwam op hen af. „Mag ik met jullie meerijden? Ik ben op de fiets gekomen. Ik wist niet..."

Celina en Femke keken elkaar aan en glimlachten. Het was duidelijk dat ze hetzelfde dachten: Malin was weer eens uit op iets wat gratis was. „Prima, hoor," zei Femke toch maar, want wat kon ze ertegen inbrengen. Het was eigenlijk wel logisch dat ze op de fiets gekomen was. Ze woonde immers in dit dorp. „Kruip maar op de achterbank."

Lindy kwam er ook nog aangerend. „Wacht! Hebben jullie nog plaats?" Ze klom naast Malin achterin de auto en Femke haastte zich om het rijtje auto's te sluiten.

„Ik dacht dat we bij Maaike moesten zijn," zei Lindy, „dus daarom was ik lopend. Waar gaan we heen?"

„Geen idee," zei Femke die de auto's voor haar nauwlettend in de gaten hield.

„Met z'n hoevelen zijn we eigenlijk?" vroeg Celina, terwijl ze op het puntje van de stoel zat om de auto's voor hen te tellen.

„Ja, het lijkt erop alsof de stoet steeds langer wordt. Achter ons rijden ook al twee auto's, of zou dat toeval zijn?"

„Joh, dat zijn Martijn en Robbin," riep Lindy uit, die achterstevoren in de auto zat. „Moeten die niet voetballen?"

„Ze zullen wel net zo nieuwsgierig zijn als wij," lachte Femke. „Oeps, wat nou?" De hele stoet remde af en stuk voor stuk sloegen de auto's linksaf, een smal pad in.

„Dit gaat toch nergens naartoe?" zei Malin.

„Welwaar," riep Lindy enthousiast uit. „Daar komt een nieuwe wijk. Dus dáár heeft Luc een kavel gekocht. Poeh, chique zeg. Daar komen allemaal vrijstaande huizen te staan met elk een grote lap grond."

„Waar betalen ze dat van?" vroeg Malin met grote ogen.

„Nooit geld uitgeven, alsof jij dat niet weet," grinnikte Femke.

Malin zweeg. Ze wist hoe de anderen over haar dachten, maar dat kon haar niets schelen. Als ze het goedkoop of gratis krijgen kon, waarom zou ze het dan niet aannemen? Dat anderen daar hun neus voor optrokken, interesseerde haar niet.

„Ja hoor," zei Lindy knikkend. „We gaan naar die nieuwbouwwijk."

„Maar er staat nog niets," zei Celina. „Wat valt er dan te zien?"

Femke remde af. „We zijn er blijkbaar. Uitstappen, dames."

De dames keken twee keer voordat ze hun schoenen en laarzen neerzetten. „Ze had best een rode loper voor ons kunnen uitleggen," mopperde Lindy. „Wat een zandtroep is het hier."

„Kom op," wenkte Maaike hen. „Het is maar een klein stukje en het is droog zand want het heeft al dagen niet geregend. Kun je straks zo weer van je schoenen afvegen."

Nauwkeurig oplettend waar ze hun voeten neerzetten, kwamen ze op Maaike af, die straalde zoals ze nog nooit gedaan had. Ze wees naar een klein paaltje, waar Niki al bijna over gestruikeld was. „Hier begint onze bouwkavel. Luc gaat dit stuk grond kopen en daar zijn droomhuis op zetten en als dat klaar is, dan…"

„Gaan jullie eindelijk samenwonen," vulde Lindy aan. Maar Celina, Niki, Femke en Sonja keken hun vriendin gespannen aan. Er was meer aan de hand. Dat stond in duimendikke lagen op Maaikes gezicht te lezen.

„Dan gaan we trouwen!" gilde Maaike. „Luc heeft 'ja' gezegd!"

Er volgde gegil en applaus en iedereen omhelsde Maaike. „En hij wou nooit trouwen," zei Femke. „Ik vind het heerlijk voor je. Gefeliciteerd, meid."

„Bedankt en deze rozen zijn voor jullie!" Blij gaf ze Niki, Femke, Celina en Sonja ieder een witte roos. „Iedereen is natuurlijk welkom op ons trouwfeest, maar jullie vieren zijn mijn allerbeste vriendinnen, daarom worden jullie mijn bruidsdames."

„Wat?" gilden ze alle vier tegelijk.

„Ja, ik wil dat jullie er de hele dag bij zijn en steeds bij me in de buurt blijven. Ik wil er een droomhuwelijk van maken en dat kan nooit zonder jullie. Ik heb al ontzettend leuke kleren voor jullie gezien. Lange, wijde, zachtroze…"

„Nee toch," riep Niki uit. „Zachtroze? We zijn Sissi niet."

„Nou, dan komen jullie in knalgroen. Kan mij wat schelen, als jullie maar mooi zijn, maar net iets minder mooi dan ik!" Ze glunderde en Celina voelde echt even haar hart stil staan, toen ze het geluk zag dat Maaike uitstraalde. Dus zó was het om te gaan trouwen, zó zag je eruit als je echt gelukkig was. Ze greep Maaikes hand beet en kneep er vol warmte in. „Echt geweldig voor je," fluisterde ze met verstikte stem. „Ik gun het je zo!"

„Dank je," zei Maaike. Even sloeg ze haar armen om haar vriendin heen en drukte haar tegen zich aan. „Jouw tijd komt ook nog wel," zei ze zacht in haar oor. Daarna keek ze weer trots om zich heen. „Ik had van de week vroege dienst en na die tijd ben ik even bij een bakker langs gegaan in de stad. Daar hadden ze een fotoboek met bruidstaarten. Er was er eentje bij van zes verdiepingen! Die wil ik."

„Met bovenop zo'n schattig echtpaartje?" vroeg Femke lachend.

„Precies! Kun je je voorstellen dat Luc en ik die taart samen aansnijden? En muziek. We moeten ook maar eens goed om ons heen kijken, want ik wil natuurlijk wel een topband."

„Wanneer is het eigenlijk? Hebben jullie al een datum geprikt?" vroeg Lindy nieuwsgierig.

Even betrok Maaikes gezicht. „Nee." Een loshangende lok zwaaide heen en weer voor haar voorhoofd. „Eerst bouwen, dan trouwen," zei ze, „maar Luc is een harde werker. Je zult zien dat het huis de grond uit vliégt. Ik wil ook prachtige uitnodigingen maken. Jullie kunnen me vast wel helpen. Ik vind het wel prettig om een lange voorbereidingstijd te hebben, dan kan alles tot in de puntjes verzorgd worden."

„Daar zou ik dan maar volop van genieten," bromde Robbin opeens, „want als jullie eenmaal getrouwd zijn, zal de lol er wel snel af zijn." Hij grijnsde en Martijn grinnikte.

Maaike keek kwaad. „Als jullie zo gaan doen, verbied ik jullie nog met Luc om te gaan. Heb ik hem eindelijk zover, gaan jullie van die onzindingen zeggen."

„Onzin? Wij spreken elkaar wel weer als je zo'n halfjaar getrouwd bent!" Hij wierp haar een geheimzinnige blik toe en wilde naar zijn auto lopen.

Maaike rende hem achterna en greep hem bij zijn trainingsjack beet. „Wat bedoel je?" siste ze.

Hij lachte. „Ik bedoel dat je Luc geen dag meer voor jezelf hebt als jullie hier eenmaal wonen."

„Hoezo?" Ze leek verward.

„Omdat ik me heb ingeschreven voor de kavel naast die van jullie en ik jullie buurman word en omdat Luc dan natuurlijk elke avond gezellig bij mij naar voetbal komt kijken!"

Lachend stapte hij in en wenkte Martijn, door op zijn horloge te wijzen.

„O ja, de wedstrijd," zei Martijn verontschuldigend, „en eh... ik kom natuurlijk ook elke avond!" Hij stapte in, draaide het raampje open. „Naar die voetbalwedstrijden kijken, bedoel ik dus." Schaterend reden ze weg, terug naar het dorp, waar hun wedstrijd al bijna zou beginnen.

Druk pratend en gebarend kwamen de meiden het voetbalveld op, waar de scheidsrechter juist floot voor de aftrap. „Veldhuizen! Veldhuizen!" riepen ze in koor.

Martijn en Robbin begonnen gelijk 'Daar komt de bruid'

te neuriën. Maaike bleef glunderen. Ze was duidelijk de gelukkigste vrouw op aarde.

„Ik ga wat te drinken halen," zei Niki. „Ik heb dorst gekregen van al die opwinding. Nog meer liefhebbers?" Ze keek om zich heen. „Zeg," zei ze tegen Maaike, „moet jij niet achter de bar staan?"

Maaike schudde lachend haar hoofd. „Het is niet elke veertien dagen de laatste zaterdag van de maand. Je haalt wel iets fris op voor ons, toch?"

Niki grijnsde en verdween de kantine in, terwijl de anderen naar de spelers keken.

„Zie je nummer 6?" vroeg Femke opeens zacht aan Celina.

„Ja."

„Die lijkt sprekend op Benny, het is alleen moeilijk te beoordelen omdat hij nou geen pet op heeft, maar dat gezicht en die handen..." Ze klonk opgewonden en stond dicht tegen Celina aan, zodat de anderen haar niet konden horen.

„Zou kunnen," bedacht Celina. „Hij kan best twee hobby's hebben, voetballen en draaien."

„Precies, en omdat hij hier vaker draait, moet hij ook wel in de omgeving wonen, net als deze tegenstanders."

Celina glimlachte. Ze zag hoe Femke ingespannen naar het veld keek en wou dat ze iets wist om te zeggen. „Hij ziet er in elk geval goed uit," zei ze maar.

„Wie?"

Geschrokken keken Celina en Femke om. „Wat kun jíj zachtjes sluipen," riepen ze verontwaardigd tegen Niki.

„Helemaal niet, jullie waren zo geconcentreerd bezig en ik wil weten waarmee." Ze lachte, terwijl ze de frisdrank door het rietje naar binnen zoog. „Nou? Wie ziet er goed uit?"

„Nummer 6," gaf Femke meteen toe, omdat ze wel wist dat Niki anders toch zou blijven zeuren tot ze het gezegd had.

Niki tuurde naar het veld. „Hé, dat lijkt die dj wel van vorig weekend."

„Zie je, dat zei ik ook," zei Femke opgetogen. „Dus toch. Dat vind ík nou een stuk!"

„Eerlijk?" Niki keek nog eens het veld op. „Ach, een toffe gozer zal het wel zijn, maar een stuk?"

„Wat mankeert eraan?" vroeg Femke beledigd.

„Malle meid, niets, en wees blij dat we verschillende smaken hebben. Het zou toch vreselijk zijn als we allemaal op dezelfde man vielen."

Femke moest lachen. „Je hebt gelijk. Dat zou een boel ellende geven en ruzie en vechtpartijen."

„Precies en één afgebroken nagel is meer dan genoeg. Wat duurt dat lang voor die weer een beetje op lengte is." Zuchtend keek ze naar haar ene hand. „Maar je gaat je gang maar met die dj, van mij zul je geen last hebben." Niki keek haar olijk aan.

Femke niet, dacht Celina wrang en draaide haar hoofd snel af richting veld. Er lag een brandende vraag op haar lippen, maar ze wist dat ze die niet stellen kon, want dan zou ze absoluut door de mand vallen. „Hoe is het met dat meisje dat naar het ziekenhuis moest?" vroeg ze dus maar. Ze kon Niki immers niet negeren. Ze moest gewoon tegen haar doen.

„Dat wil je niet weten," zei Niki schaterend.

„Heus wel." Ze keek verbaasd om. Wat viel er te lachen?

„Oké dan. We hadden geloot in de klas, want twee kindertjes zouden met me meegaan op ziekenbezoek. Met een kop als een boei heb ik die vader weer opgebeld om te vragen wanneer ons bezoek uitkwam."

„Welke groep heb je eigenlijk dit jaar?" vroeg Celina. Het was een veilig onderwerp en ze durfde Niki dan ook recht aan te kijken.

„Vier. Dat zijn nog zulke schatjes. Zeven, acht jaar. Nog

heel aanhankelijk en lief." Niki keek vertederd en even was Celina verrast door de uitdrukking op haar gezicht. Ze kende haar eigenlijk alleen maar lachend en flirtend. Dit was een andere kant van Niki.

„We zouden vorige week donderdagmiddag in het ziekenhuis zijn, dus ik met aan elke hand een kind dat grote gebouw in. Ze waren daar nog nooit geweest, dus ze keken hun ogen uit. 'Waar ligt Anouk nou?' vroegen ze de hele tijd en wij maar sjouwen door die lange gangen en een lift in en toen we eindelijk op de juiste verdieping waren, hoorde ik opeens een donkere mannenstem achter me zeggen: 'Ha, lekker ding!' Ik keek natuurlijk meteen om, recht in twee stralende, ondeugende ogen. Nou, hij kon het over zichzelf gehad hebben!" Niki hield even op en haar gelaatsuitdrukking zei voldoende.

„En, en, en... Ga nou verder!" Celina hoopte zo dat zou blijken dat Niki deze man leuker zou vinden dan Dennis.

„Ik bekeek hem van top tot teen en zei toen lachend dat ik geen tijd voor hem had omdat er belangrijker dingen op mijn programma stonden. De kinderen trokken aan mijn handen en ik liep door zonder nog om te kijken. Anouk lag bleek in bed, maar klaarde helemaal op toen ze ons binnen zag komen. 'Juf!' gilde ze blij. Ze stak haar handjes naar me uit, maar net toen ik ze wilde pakken, trok ze ze terug en stak ze de andere kant op. 'Pappa', riep ze nog veel enthousiaster. Stond die man daar. Die man die me 'lekker ding' had genoemd."

Celina keek haar perplex aan. „Wat een kerel. Ligt zijn kind ziek in bed en hij probeert ondertussen de juf te versieren."

„Precies," was Niki het met haar eens. „Dat doe je toch niet!"

„Hij betaalde haar alleen maar terug," zei Femke lachend.

Ze stond met haar rug naar hen toe nauwkeurig het spel op het voetbalveld in de gaten te houden, maar ze had dus toch elk woord gehoord.

Niki giechelde. „Ze heeft gelijk."

„O ja, dat was die man die jij 'hunk' genoemd had." Celina schoot in de lach. „Hij wist natuurlijk dat jij het was, omdat je een afspraak gemaakt had."

„Precies. En een vrouw met twee kinderen op dat tijdstip en op die afdeling, nou, dat moest ik dus wel zijn."

„En later?"

Niki haalde haar schouders op. „Ik moest die kinderen weer naar huis brengen, dus niets later."

„Maar je vond hem wel kunnen?"

„Echt wel," lachte Niki. „Ik heb thuis dus meteen uitgezocht of Anouks ouders gescheiden zijn en dat zijn ze!"

„Dus dat kan nog wel wat worden," zei Celina opgewekt.

Niki zweeg en keek naar het voetbalveld. Femke draaide zich nu naar haar toe. „Ben je wel in orde?"

„Hoezo?"

„Ik zit al twee weken op bericht van je te wachten wat Dennis aan de telefoon zei en zelfs dit, van die hunk, heb je ons niet verteld. Wat is er met je?" Femke bekeek haar onderzoekend.

„Met mij is alles prima en ik hoef toch niet álles te vertellen?"

„Dus Dennis heeft niet gebeld?"

„Echt wel!" riep Niki fel.

„Nou en? Wat zei hij?" Femke bleef Niki onderzoekend aankijken, maar ze werd niet wijs uit de uitdrukking op haar gezicht.

„Dat hou ik lekker voor mezelf," zei ze met een twinkeling in haar ogen. „Sommige dingen zijn te intiem om verder te vertellen."

„Zelfs aan je beste vriendinnen? Zo ken ik je helemaal niet," zei Femke verrast.

„Soms wel, ja. Ik loop nog even naar Maaike toe. Ik heb een hartstikke leuk idee voor onze trouwkleding." Zonder nog op een reactie te wachten, liep ze weg.

Femke keek haar verbouwereerd na. „Snap jij dat nou?" vroeg ze aan Celina. Ze draaide zich weer om naar het veld om de wedstrijd te volgen en om naar nummer zes te kijken, maar ze wachtte duidelijk wel op een antwoord van Celina.

„Nee," zei die dus, haar schouders ophalend. „Ze vertelt juist altijd alles tot in de details en in geuren en kleuren."

„Weet je nog dat ze helemaal knetter op die adonis in Spanje was. Hoe heette hij ook alweer?"

„Alessandro."

„Die ja. Ze ging zelfs zover dat ze precies vertelde hoe ze het gedaan hadden en hoe hij was in bed. Dat vond ík te intiem. Zulke dingen zou ik niet aan iedereen vertellen. Hooguit aan jou." Even keek ze Celina warm aan, maar snel draaide ze haar hoofd weer naar het veld. De wedstrijd was blijkbaar spannend, maar Celina had er nog niet veel van gezien. „In elk geval is het vreemd dat ze niet iedereen gesms't heeft dat hij haar gebeld heeft en ook niet dat ze die hunk in het ziekenhuis was tegengekomen. Of eh... Zou ze zich nog schamen dat ze hem zo genoemd had?"

„Dat zou kunnen. Niki laat ons altijd alleen maar haar vrolijke, flirterige kant zien. Misschien heeft ze ook wel andere kanten, die wij nog niet kennen." Celina dacht terug aan de vertederde blik die ze nog maar een paar minuten geleden in Niki's ogen had gezien. Misschien schaamde ze zich inderdaad wel.

Voor hen stonden drie kleine jongens. Ze hadden ook een witte voetbal, waar ze tegenaan trapten. Af en toe rolde hun bal vervaarlijk dicht bij de lijn van het voetbalveld.

„Houden jullie daar nou eens mee op," riep een vrouw. „Jullie maken de spelers in de war."

„Ja, mam," zei een van de jongens keurig, maar tegelijkertijd liet hij een enorme boer.

„Joh!" protesteerde een ander met een schuin oog naar de vrouw die hen net toegesproken had.

„Dat heb je zeker van je vader geleerd," zei een van de omstanders lachend.

„Echt niet," zei de jongen. „Van mijn moeder."

Het publiek schoot in de lach. Ook Celina grinnikte, maar haar gezicht vertrok toen Femke haar een flinke duw met haar elleboog gaf en luidkeels „Ja!" riep.

„Au! Wat gebeurt er?" riep Celina geschrokken uit. Ze had helemaal niet meer op het veld gelet. Femke stond enthousiast in haar handen te klappen. Haar ogen glansden van opwinding.

„Ben je gek geworden?" Maaike kwam boos op Femke af. „Wat is er met jou?"

Femke keek verward om zich heen. Ze kreeg een hoofd als een boei. „S-sorry," stamelde ze. „V-vergissing."

„Dat zou ik ook denken," zei Maaike geïrriteerd. „Het is dat ik ga trouwen, anders zou ik je ter plekke een blauw oog slaan."

„Je hebt gelijk, Maaike. Sorry, het spijt me."

Celina keek van de een naar de ander en daarna naar het veld. Ze zag dat de scheidsrechter zijn fluitje in de mond stak en dat de bal weer op de middenstip lag. Het was een doelpunt geweest, begreep ze. Op het scorebord zag ze de stand verschijnen. Toen werd het haar helemaal duidelijk. Het was een doelpunt voor de tegenpartij. Ze grinnikte. „Was het Benny soms, die scoorde?"

Femke knikte schuldbewust van ja, maar haar ogen straalden.

5

„Ik wil vanavond iemand versieren!" riep Sonja uitdagend de kamer in.

Ze schoten onbedaarlijk in de lach. „Dat lukt zo echt wel!" zei Niki schaterend. „Tien aan elke vinger!"

„Gatsie, zo niet, natuurlijk!" Sonja sloeg snel haar handen voor haar lichaam, maar die waren niet groot genoeg om haar lila kanten behaatje en slipje te verbergen. Haar navelpiercing schitterde vrolijk. „Ik heb hulp nodig bij het uitkiezen van de juiste outfit!"

„Zeg dat dan!" riep Niki. „Laat mij eens zien wat je bij je hebt."

„Daar spreekt de expert," vond Lindy.

Na de voetbalwedstrijd, die alwéér door 'hun' club gewonnen was en na de derde helft in de kantine, waren ze met zijn allen naar Maaikes kleine huisje vertrokken. De huiskamer, die tegelijk keuken was, was zo klein, dat ze haar slaapkamer boven ook wel in gebruik moesten nemen.

Sonja liep de trap weer op en Niki ging achter haar aan. Ook Lindy liep mee.

„Heeft Niki nou al iets van Dennis gehoord?" vroeg Maaike aan Femke en Celina.

„Ze zei van wel," antwoordde Femke, „maar ze wou er verder niets over vertellen."

„Niets? Zo is ze anders nooit."

„Ze vond het te intiem, zei ze."

„Te intiem? Sjonge, wat zouden ze dan besproken hebben?" Maaike begon te grinniken. „Niki kennende..."

„Kénnen we haar dan?" vroeg Femke zich af. „Ze was de afgelopen weken zo stil. Niet één sms'je heb ik van haar gekregen, terwijl ze ook nog een mooie man in het ziekenhuis heeft ontmoet."

„Welk ziekenhuis?” vroeg Maaike verrast. Ziekenhuizen waren immers háár terrein, als verpleegkundige.

„Dat weet ik niet. Het ziekenhuis waar dat meisje uit haar klas lag.”

„Is ze daar geweest?” Maaike keek haar verbaasd aan. „Dat wist ik helemaal niet. Daar werk ik!”

„Op de kinderafdeling?”

„Nee, dat niet, maar ze had me toch wel kunnen vertellen dat ze daar was? Hadden we misschien een cappuccino samen kunnen drinken.”

„Joh, ze was met twee kinderen uit haar klas.”

„Ah, dat verklaart de zaak.”

„Helemaal niet. Normaal gesproken vertelt ze ons altijd precies wie ze ontmoet heeft en waar dat was.”

„Juist. Dat bedoel ik. Maar nou nog eens wat...” Maaike keek Femke ernstig aan. „Waarom juichte jij toen de tegenstanders een doelpunt maakten?”

Femke begon te lachen, maar ze kleurde tegelijk. „Omdat ik nummer 6 zo interessant vond en toen scoorde hij. Zonder erbij na te denken, begon ik te schreeuwen.”

„Voor de tegenpartij! Femke!”

„Ja, ja, ik weet het en het spijt me ook.”

„Echt niet!” lachte Maaike.

„Nee, echt niet.” Er ontsnapte haar een diepe zucht.

„Vertel!”

„Ik had hem al een paar keer eerder gezien. Hij is diskjockey en ik was heel verrast dat hij nu opeens vlak voor me op het veld stond. Ik vind ’m hartstikke tof, weet je, ik eh...”

„Femke!” gilde Maaike. „En toen? Wat heb je na de wedstrijd gedaan? Ik heb helemaal niks gemerkt!”

Celina keek lachend van de een naar de ander. Zij wist het antwoord al, maar ze liet het graag aan Femke over om het te vertellen.

„Ik stond buiten te wachten. Ik wou proberen 'toevallig' met hem in contact te komen. Opeens kwam hij de kleedkamer uit en hij liep zomaar naar de uitgang van het veld. Hij zag me niet eens staan! Maar iemand van zijn ploeg riep hem nog na en daarom weet ik dat hij het echt was, die dj, want die heet Benny en zijn maat riep 'Tot ziens, Benny' dus hij was het echt en nou hoop ik zo dat hij er vanavond ook weer is..."

„Meid, je hebt het zwaar te pakken," vond Maaike, „maar ik hoop met je mee, hoor! Niets is heerlijker dan een man te hebben, helemaal als hij met je wil trouwen! Heb je trouwens deze week op koopavond vrij? Ik heb zo'n zin om te shoppen. Ik móét alvast wat kopen voor ons huis. Het maakt niet uit wat!"

„Ik heb nog wel een afwasborstel over," zei Celina.

„Graag! Prima! Alles is welkom, als ie maar..."

„Wat?"

„Eh..." Maaike schoot in de lach. „Ik wou een kleur noemen, als ie maar rood is of zo, maar ik weet zelf nog niet eens welke kleuren ik mooi vind voor in de keuken, dus nee, nog even geen afwasborstel, eerst oriënteren."

„En eerst wachten tot Luc de kavel echt gekregen heeft," zei Celina nuchter.

„Hm, je hebt best gelijk, maar ik wacht al zo lang," zei Maaike verontschuldigend.

„Kijk!" riep Sonja, die de kamer weer in kwam.

Iedereen stond perplex.

„Heftig, hoor! Als het je zó niet lukt een man te versieren, weet ik het ook niet meer," verzuchtte Inge. „En Femke heeft je nog niet eens opgemaakt!"

„Ik hou ook niet van veel make-up. Alles puur natuur."

„O ja?" Inge liet haar blik over Sonja's diep uitgesneden topje glijden. „Puur natuur?"

Sonja schaterde en gleed met haar handen over haar borsten. „Ja, puur natuur, maar met een steuntje. Ha! Celina, wil jij mijn staart nog fatsoeneren?"

„Natuurlijk, kom maar." Celina was blij dat ze iets kon doen. Ze voelde zich verward. O, ze had het echt naar haar zin, maar telkens gleden haar gedachten naar Dennis. De ene seconde hoopte ze vurig dat híj hen die avond met de taxi naar de discotheek zou brengen en de volgende seconde hoopte ze net zo vurig dat hij geen dienst zou hebben. Ze verlangde er zo naar hem te zien, al was het maar een glimp, maar ze wist dat het haar net zoveel pijn zou doen als dat ze naar hem verlangde. Ze zuchtte onhoorbaar en liep achter Sonja aan naar boven. Hij had Niki gebeld. Eigenlijk was ze blij dat Niki niet wilde vertellen waar ze het over gehad hadden. Dat zou óók pijn gedaan hebben.

Stop! Celina, stop. Je zou niet meer aan hem denken! 'Vijf minuutjes toch?' hoorde ze een stemmetje in haar hoofd. Ze trok een grimas. Die waren allang voorbij!

„Hallooo, ben ik in beeld?" Sonja stond met de kam voor haar neus te zwaaien.

„O, sorry." Celina pakte de kam aan. Met een schuin hoofd bekeek ze haar vriendin. „Je ziet er echt waanzinnig uit."

„Vind je?"

Celina knikte. „Dat zwarte bolerootje staat geweldig, en dat strakke topje eronder."

„En mijn rokje. Wat vind je daarvan?"

„Dat kun jij heel goed hebben met die benen van jou."

„Maar de kleuren?"

„Prima!" Celina keek goedkeurend naar het rood-zwart met geel geruite rokje tot boven haar knieën, naar de dikke, zwarte panty die ze eronder droeg en naar de lange laarzen die bijna haar knieën bereikten. „Wil je per se een staart? Ik kan er ook eens iets anders van maken..."

„Nee, doe maar een staart. Dat ben ik nu eenmaal gewend," vond Sonja.

„Oké, ga zitten dan." Celina ging achter haar staan en kamde de blonde, steile haren, nam ze strak in haar hand en kamde alle haren die los vielen erbij. Met een elastiekje bond ze de staart vast. „Mag er ook niet een kleine lok loshangen?"

„Nee, ik wil het zó. Strak naar achteren."

„Oké, dan ben je klaar."

„Helemaal niet. Nou mijn oorbellen nog. Kijk, ik ben met mijn moeder wezen shoppen en toen kreeg ik deze."

„Zo! Mooi, zeg." Celina pakte de lange oorbellen aan. Onderaan hing een zwart steentje. „Past precies bij je zwarte bolero en topje.'

„Vandaar." Sonja ging voor de spiegel staan en deed ze in. Ze bekeek zichzelf nauwkeurig en knikte tevreden.

„Nou ik," zei Niki, die aangekleed de kamer in kwam. „Ik heb de badkamer maar even gebruikt om me om te kleden. Het was hier net zo druk. Wil je mijn haren ook doen, Celina?"

Celina gaf even geen antwoord. Met open mond staarde ze naar haar vriendin. „Wow, Niki, wat zie je er super uit. Ik val helemaal in het niet bij jullie. Jij hebt ook al een rok aan. Zo te gek, zeg."

Niki straalde. „Moet ook," zei ze met een geheimzinnige grijns op haar gezicht.

Celina keek naar haar, naar het groenige rokje in laagjes, naar het gestreepte topje erboven. Ze zag er echt geweldig uit. Logisch dat Dennis haar gebeld had. Ze was immers prachtig! Ze pakte de kam weer op en haalde die door Niki's haren. „Eigenlijk valt er niets te kammen. Jouw haar valt van zichzelf al zo mooi in krullen. Het zou wel weer eens bijgepunt moeten worden, maar dat ga ik hier niet doen. Maaike ziet ons aankomen met al die haartjes op de vloerbedekking."

Niki keek bezorgd in de spiegel. „Vind je het nodig?"
Celina knikte.
„Maar dan gaat er algauw weer twee, drie centimeter af en dat wil ik niet."
„Je haar wordt er wel gezonder door, dus mij lijkt het heel verstandig. We kunnen het van de week wel een keer doen. Dinsdagavond?"
Niki aarzelde. „Eh? Kweenie. Ik bel je nog." Ze wilde zich niet op een avond vastpinnen. Niet nu ze er zeker van was dat Dennis helemaal voor haar zou vallen als hij haar in deze outfit zag.
„Oké, ik hoor het wel," zei Celina die haar dilemma best begreep. Ze gleed met haar hand door de dikke bos rode krullen en glimlachte.
Niki zag het in de spiegel. „Wat?"
„Ach, ik dacht dat we nooit tevreden zijn. Ik wil graag lange krullen, maar mijn haar is zo steil van zichzelf dat ik het maar beter kort kan houden."
„En ik ben dus jaloers op jouw haarkleur. Zo lekker pittig staat je dat, dat donkere. Natuurlijk kan ik mijn haar wel kleuren, maar dat past totaal niet bij mijn lichte, sproetige huid."
„Precies. dat bedoel ik. Zo is er altijd wel wat waar we niet tevreden over zijn. Doe je geen oorbellen in?"
„Of course, my dear! en ik heb een heel mooie, bijpassende ketting, die precies tussen mijn borsten valt."
Celina keek bewonderend toe hoe Niki nog aantrekkelijker werd met haar sieraden om en ze wist dat ze gelijk gehad had – ze viel in het niet bij haar. Ze haalde haar schouders op. Het gaf niet. Ze had andere plannen voor die avond. Ze zou er alles aan doen om Femke in contact te laten komen met Benny. Peinzend liep ze de trap af en de kamer weer in, waar ze bijna tegen Maud opbotste. „Hé, da's lang geleden!"

Maud keek haar schuldbewust aan. „Stom, hè? Het spijt me, hoor."
„Wat?"
„Dat ik jullie heb laten vallen voor een vriendje."
„Ach joh, kan gebeuren toch, als je verliefd bent," vond Celina. „Maar, eh?"
„Ja, nu heeft hij míj laten vallen en ben ik weer single."
„En dus zijn wij weer goed genoeg," bromde Lindy.
„Ik zei toch sorry," herhaalde Maud.
„Welkom, hoor," vond Celina. „We gaan er gewoon met zijn allen een leuke avond van maken en natuurlijk ga jij ook mee."

6

Nadat ze de grote pan soep die Maaike gemaakt had tot de bodem toe hadden leeggegeten, en nadat ze eindelijk allemaal omgekleed en opgemaakt waren, stonden Maaike, Celina, Femke, Niki, Sonja, Lindy, Inge en Maud klaar om met de taxi naar 'Crosspoint' te gaan. Ze waren precies met acht vrouwen, dus het moest passen. Maaike had een taxi besteld en in opdracht van Niki had ze om Dennis als chauffeur gevraagd, maar de centrale had haar niets kunnen garanderen.

De teleurstelling was duidelijk te zien op Niki's gezicht toen er een vreemde man achter het stuur bleek te zitten. „Waarom is Dennis er niet?" mopperde ze tegen hem.

„Dennis? Die heeft helemaal geen dienst vannacht."

„Niet?" Ze keek hem geërgerd aan. Waarom wist ze dat niet? Verdikkie. In één klap vielen al haar plannen in duigen.

„Zeg dame, je gaat niet zitten mokken, hoor," vond Sonja. „Er zijn mooie mannen zat."

„Je hebt gelijk." Niki grijnsde alweer.

„Als je maar van dj Benny afblijft," zei Femke. „Die is voor mij."

„Hé, wat denk je wel van mij." Niki keek beledigd, maar haar ogen lachten. „Ik zou nooit iemand van ons voor de voeten willen lopen, wat jij, Celina?"

Celina keek verschrikt op. Wat bedoelde ze? Waarom betrok ze juist háár erbij? Zij had toch niets gedaan? Of had Niki stiekem toch een vermoeden gekregen? Ze keek haar aan, maar het was te donker in het busje om precies te zien hoe Niki's ogen stonden. „Natuurlijk niet," zei ze dus maar. „We zijn vriendinnen!"

„Zo mag ik het horen!" riep Niki uit, maar ze klonk minder zelfbewust dan anders.

Celina draaide haar hoofd af. Ze voelde zich verward. Had Niki er iets mee bedoeld? En wat helemáál vreemd was, ze had niet geweten dat Dennis geen dienst had. Waar hadden ze het dán over gehad toen hij haar belde? Of was het echt zo'n intiem gesprek geweest dat ze helemaal vergeten was te vragen of hij dit weekend werkte? 'Hou nou eens op!' zei dat stemmetje in haar hoofd. Ze knikte onzichtbaar, keek verward op toen ze een hand in haar nek voelde en een hoofd vlak bij haar oor. „Je laat me niet alleen, hè?" fluisterde Femke, die achter haar in het busje zat.

Celina draaide haar hoofd om. „Je hebt toch geen gouvernante nodig? Of een pottenkijker?"

„Nee joh, ik bedoel als ik probeer contact met hem te krijgen. Het valt minder op als we samen zijn, maar als het lukt, ja, dan mag je wel eventjes verdwijnen." Femke grijnsde.

„Oké, hoor!" Celina glimlachte.

In de discotheek was het druk. Met zijn achten baanden ze zich een weg naar de bar om een drankje te scoren, maar het was moeilijk om door de menigte heen te komen.

„Hij is er niet," riep Femke teleurgesteld in Celina's oor.

Celina keek naar de draaitafel, daarna naar Femke. „Hoe laat draaide hij anders dan?"

„Oeps!" Ondanks de niet al te felle verlichting zag Celina dat ze kleurde. „Om twaalf uur en dat is het nog niet, toch? Ik ben helemaal in de war, joh." Ze grinnikte wat schaapachtig. „Ik vind hem echt leuk, weet je."

„Ja, dat weet ik." Ook Celina grinnikte. Ze vond het leuk om haar beste vriendin zo te zien. Ze mocht haar zo graag dat ze haar al het geluk van de wereld gunde en ze had gelijk, Benny zag er goed uit. Dat had ze zelf 's middags op het veld kunnen constateren.

„Allemaal bier?" riep Niki boven de muziek uit. Ze knikten

en zagen hoe Niki de een na de ander passeerde en ten slotte bij de bar uitkwam. Maar het leverde haar geen boze blikken op van de mensen die ze passeerde. Hooguit bewonderende.

„Zie je die lange gozer daar?" riep Sonja, terwijl ze met haar hoofd in zijn richting knikte. „Dat lijkt me wel wat. Ik ga me zo even afzonderen, hoor." Ze lachte ondeugend en zodra ze een glas bier had, stak ze haar hand op en verdween in de massa.

„Daar is ie. Hij is er tóch!" Opgewonden kneep Femke in Celina's arm.

„Rustig maar," grinnikte Celina. „Je knijpt me blauw." Maar haar ogen gleden over de hoofden van de mensen heen en opeens zag ze naast de draaitafel een jongeman met een pet. Hij kon het zijn, al bedekte de pet veel van zijn gezicht.

„Ga je mee?" hoorde ze Femke zeggen. „Laten we gaan dansen in de buurt van de draaitafel."

Celina begreep haar en snel zei ze tegen de anderen dat ze de dansvloer op gingen. Beetje bij beetje kwamen ze dichter bij de draaitafel. Ook Celina moest nu toegeven dat hij het echt was.

„Hij draait altijd van die geweldige muziek. Precies mijn smaak," schreeuwde Femke in Celina's oor. De muziek was bij de draaitafels veel harder dan bij de bar en maakte het praten bijna onmogelijk. Celina knikte dus maar en bewoog mee op het lekkere ritme van de muziek. Ze zag echter in dat de afstand die hen nog van de dj scheidde te veel was om echt contact te maken. Ze greep Femke bij een arm en trok haar mee, dichter naar de diskjockey toe.

„Kalm an," riep Femke.

„Helemaal niet. Grijp je kans," siste Celina en was verbaasd over zichzelf. Grijp je kans... Alsof zíj dat durfde. Waar haalde ze de moed vandaan om nu wél spontaan naar voren te gaan en de aandacht te trekken? Ze wist het wel. Het ging nu niet om haar. Dat maakte haar een stuk minder verlegen. „Drinkt hij bier?" vroeg ze aan Femke. „Zal ik een glas halen, zodat jij het hem aan kunt bieden?"

Femke knikte wild met haar hoofd en Celina ging op weg naar de dichtstbijzijnde bar om drie glazen bier te halen. Gelukkig was het bij deze bar niet zo druk en al vrij snel kwam ze terug met de glazen in haar hand. Femke stond vlak voor de draaitafel te dansen op de muziek van Benny. Stralend pakte ze twee glazen aan en draaide zich naar Benny toe. „Op je goal van vanmiddag!" riep ze, terwijl ze hem een glas toestak.

„Wat?" Hij had haar duidelijk niet verstaan, maar ze had wel zijn aandacht.

„Je doelpunt! Gefeliciteerd!"

Hij fronste zijn wenkbrauwen en keek haar onderzoekend aan. „Heb je wat tegen me?" vroeg hij toen.

„Hè? Hoezo? Hier, bier!" Ze keek hem zo stralend aan, dat hij in de lach schoot en het glas aanpakte. „Wacht je op me?" riep hij.

Ze knikte ijverig en bleef voor hem dansen, terwijl hij met zijn vingers over het vinyl gleed en de volgende plaat warmdraaide. Haar ogen fonkelden, haar huid tintelde en de vlinders vlogen alle kanten uit in haar buik.

„Wat zei hij?" vroeg Celina.

„Of ik op hem wou wachten."

„Eerlijk? Meid, wat goed!"

Meer zeiden ze niet, want daar was door de muziek niet de gelegenheid voor, maar ze dansten uitbundig en hadden zich zelden zo vermaakt op de dansvloer.

Na een uur zat het erop voor dj Benny. Hij nam afscheid van het publiek en verdween uit beeld. Femke zocht hem met haar ogen, maar zag hem nergens meer. Haar hart stond even stil. Dit flikte hij haar toch niet? Ook Celina keek ongerust om zich heen. Ze zag wel hoe Femke zich voelde. Tot haar grote opluchting zag ze hem opeens aankomen met twee glazen bier in zijn hand. „Daar!" Ze gaf Femke een duw, die snel haar hoofd omdraaide. Opnieuw sloeg haar hart een tel over. Hij zag er echt geweldig uit.

„Hoi," zei hij en stak zowel Femke als Celina een glas toe. „Loop even mee!" schreeuwde hij, terwijl hij naar zijn oren wees. Femke knikte en keek Celina aan.

„Ik ga de anderen zoeken," zei Celina. „Pas op jezelf, hè!"

Femke liep achter Benny aan een lange gang door. Uiteindelijk kwamen ze bij de openstaande achterdeur van de discotheek uit, waar iemand bezig was een bestelbusje vol te laden. „Ik heet Benny," zei hij, „maar dat wist je vast al." Hij stak haar grijnzend zijn hand toe.

„Femke. Ik zag je vanmiddag op het voetbalveld."

„In Veldhuizen?"

„Ja."

„Dat ik jou niet gezien heb!"

Femke voelde haar wangen gloeien.

„Maar een felicitatie was het natuurlijk niet waard. We hebben met een-drie verloren. Ik dacht dat je me zat te jennen."

„Echt niet. Je zette een schitterend doelpunt neer."

„Hou jij van voetbal?"

„Best wel. Ik sta bijna elke twee weken langs de lijn, maar ik hou ook van jouw soort muziek. Daar kick ik echt op."

Hij lachte. „Jammer dat ik over een uur in de stad moet draaien. Of ga je mee?"

„Mee?" Ze keek hem met grote, glanzende ogen aan. „Nou, nee." Ze schudde aarzelend haar hoofd. 'Pas op jezelf' had Celina gezegd en ze had gelijk. Ze kende hem totaal niet. „Ik ben hier met mijn vriendinnen."

„Nou en? Kunnen die niet op zichzelf passen?" vroeg hij lachend.

„Samen uit samen thuis, is ons motto."

„Zelf weten." Hij zocht in de achterzak van zijn zwarte jeans, maar vond niet wat hij zocht. „Wacht even." Hij liep naar het bestelbusje, deed het portier open, rommelde wat in het handschoenenvakje en kwam terug met een klein kaartje. „Bel me als je zin hebt," zei hij en stak het haar toe. „Ik moet nu echt weg. Ik kom niet graag te laat." Snel boog hij zich naar haar toe en drukte een kus op haar linkerwang. „Peet!" riep hij. Peet zat al achter het stuur en voor Femke iets terug kon zeggen, was hij op de passagiersstoel gaan zitten en reed het busje weg.

Verstijfd en versteend door de opwinding bleef ze minutenlang het busje nakijken. Ze merkte niet eens dat ze het koud gekregen had, omdat ze bezweet en zonder jas naar buiten gelopen was.

„Hé, erin of eruit? De deur moet op slot," hoorde ze een mannenstem achter zich roepen. Ze draaide zich geschrokken om en rende naar binnen. Ze was verbaasd dat haar benen het nog deden. Waar was de grote zaal? Waar waren haar vriendinnen? Ze rende alsof haar leven ervanaf hing en kwam buiten adem weer in de goede zaal aan. Daar bleef ze hijgend stilstaan. In haar hand klemde ze het kaartje vast alsof het haar kostbaarste bezit was. Hij had haar gekust en hij wou dat ze hem belde!

„Wat vind jij ervan dat ik hem moet bellen in plaats van hij mij?" vroeg Femke met een hulpeloze blik in de ogen.

Celina kwam net thuis. Het was al laat, want er was om half zes nog een klant in de kapsalon gekomen die geknipt en gekleurd wilde worden. Toen ze het paadje naar de voordeur op liep, zag ze Femke op de bank zitten en ze zag er niet echt vrolijk uit. Ze was ervan geschrokken en had daarom om de hoek van de kamerdeur gekeken. Normaal zou ze rechtstreeks naar haar eigen verdieping gelopen zijn, maar er was iets in Femkes houding dat haar dwong te kijken wat er was.

„Benny? Leuk, toch?" zei ze aarzelend. „Wel stoer."

„Stoer?"

„Ja, vind ik. Wat is er? Gisteren was je nog zo blij."

„Ach..." Femke haalde haar schouders op.

Celina ging bij haar op de bank zitten. „Nou?"

„Vanmorgen was ik ook nog zo blij en toen ik in de studio kwam, viel ik meteen door de mand. 'Femke is verliefd' riepen ze en natuurlijk kleurde ik, want het was ook zo. Dus moest ik alles vertellen en dat deed ik trouwens ook graag." Ze glimlachte. „Ik was helemaal gek van hem, dus..."

„Maar waarom nu niet meer dan?"

„Nou ja... Mijn collega's vonden het belachelijk dat ik hém moest bellen. Lekker goedkoop, zeiden ze. Praten op mijn kosten. Zo'n man, daar had je niks aan, vonden ze."

„Dát is pas belachelijk!" riep Celina uit. „Waar slaat dat nou op? Joh, ze zijn gewoon jaloers op je. Zeker een stelletje ouwe vrijsters, of niet?"

Femke moest lachen. „Misschien wel, ja... Maar ergens kan ik ze geen ongelijk geven en opeens was de lol er voor mij af. Ze zeurden er de hele dag over dat ik uit moest kijken waar ik aan begon. Eerst een telefoongesprek op mijn kosten, daarna een avondje uit en ten slotte moest ik vast ook wel de boodschappen en de huur voor hem betalen."

„Gatsie, wat een griezels van een collega's. We kregen nog wel allebei een biertje van hem! Ik geloof er niets van dat hij op jouw geld uit is. Ik vind het juist galant."

„Galant?"

Celina knikte. „Als hij om jouw nummer gevraagd had en je had het hem gegeven, had hij je meteen dag en nacht lastig kunnen vallen. Dat kun jij nu ook bij hem, maar dat risico neemt hij dus. Ik vind het echt veel meer van betrouwbaarheid getuigen dat hij zijn nummer gaf en niet het jouwe vroeg."

Femke klaarde alweer wat op. „Je hebt gelijk, hij gaf ons spontaan allebei een biertje. Ik ben gewoon veel te zenuwachtig. Ik weet niet wanneer ik bellen moet. Ik had gisteren meteen willen bellen, maar ik wilde niet te gretig lijken en ik wil ook weer niet te lang wachten."

Celina glimlachte begrijpend. „Maar het is nu maandagavond. Je hebt het kaartje zaterdagavond gekregen. Volgens mij hoog tijd dus. Ga hem nou gezellig bellen. Ik ga naar boven."

Twintig minuten later werd er bij Celina op de deur gebonsd. „Hallooo," riep Celina lachend. „Hij hoeft er niet uit!"

Femke kwam binnen en liet zich stralend op Celina's bed zakken. „O, hij is echt het einde!"

„Dus je hebt hem gesproken."

„Ja! Hij was lief, joh. Hij wist meteen wie ik was en hij gaf me complimentjes. Vond dat ik er zo leuk uitgezien had. Weet je wat hij zei?"

„Nou?" Celina was een en al oor.

„Dat mijn wang zo zacht aanvoelde toen hij er een kus op gedrukt had. Ha, ik moest lachen. 'Ik ben ook schoonheidsspecialiste,' riep ik tegen hem. Dat vond hij een heel mooi beroep, zei hij. O, Celina, zou hij nou echt de ware zijn?" Ze zuchtte, maar het was een zucht van geluk.

„En verder?"

„Wat bedoel je?"

„Heb je iets met hem afgesproken?" legde Celina uit.

„O, eh, nee. Hij stond op het punt om naar trainen te gaan. Hij traint twee keer in de week. Voor voetbal, weet je wel. En hij treedt minstens een keer in de week op. Bovendien heeft hij ook nog een baan. Hij is computerdeskundige. Hij heeft het dus druk," verzuchtte ze.

„Dat zat erin, ja, van een uurtje draaien kun je niet leven, maar het is leuk dat hij een baan heeft. Zie je wel dat hij niet op jouw geld uit is."

„Stom, hè? Dat ik me zo in de put laat praten door die stomme trutten op mijn werk."

„Hoho, normaal kun je prima met hen opschieten."

„Dat wel, maar je hebt vast gelijk dat ze jaloers zijn. Ze zijn allebei minstens tien jaar ouder dan ik en volgens mij hebben ze al in geen eeuwen een vriendje gehad." Ze lachte. „Nou ja, ik was zo bang dat Benny me alweer vergeten zou zijn, dat ik niet tegen m'n collega's op kon."

„Kwestie van zelfvertrouwen. Femke."

„Moet jij nodig zeggen."

Celina zweeg.

„Sorry, sorry, dat was niet aardig, maar je hebt gelijk. Ik vind hem alleen zo leuk, zo cool, ik..."

„Je hebt er geen woorden voor," hielp Celina haar lachend. „Leuk, meid. Ik vind het heerlijk voor je."

„Je bent een schat. Zal ik zo'n vismaaltijd uit de diepvries halen? Of heb je al gegeten?"

„Nee, lekker. Super zelfs."

„Oké, die moet wel minstens een halfuur de oven in, maar je komt maar wanneer je zin hebt. Ga ik ondertussen Maaike nog even bellen, want die was zo benieuwd hoe het verder af zou lopen."

„Maar afgesproken heb je dus niks?"

„Jawel, we houden contact!" Femke struinde de deur uit. Celina hoorde haar de trappen af sprinten en lachte. Ze gunde het Femke van harte.

Ze stond op en zocht haar kleren uit. Ze moest dringend

weer eens wassen. Straks had ze niets meer om aan te trekken. Met haar armen vol kleding liep ze even later naar beneden. De wasmachine stond in de bijkeuken. In de keuken begon de oven al te ruiken. Mmm, ze had best trek. Zorgvuldig sorteerde ze haar kleren. Sommige topjes moesten eigenlijk op de hand. Ze pakte een grote emmer en vulde die met lauw water.

„Maaike vroeg of we langskwamen. Ze heeft vanmorgen een dikke catalogus met trouwjaponnen opgehaald in een bruidswinkel." Femke stond achter haar.

„Die laat er ook geen gras over groeien," lachte Celina.

„Dat dacht ik ook. Luc heeft de bouwkavel nog niet eens, maar ik begrijp haar wel. Ze hebben nu lang genoeg verkering gehad."

„Wat heb je gezegd?"

„Dat ik in elk geval kom, dus zie maar..."

„Ik ga mee. Zeker weten. Een heel boek vol trouwjurken... Heb je nog iets van Sonja gehoord?"

„Die komt ook."

„Dan moeten we Niki ook vragen, toch?"

„Heeft Maaike gedaan, maar die schijnt andere plannen voor vanavond te hebben."

„O?"

„Ja, denk maar wat je denken wilt, dat doe ik ook." Femke schaterde. „Ze wilde het niet zeggen, zei Maaike."

„Nog even en ik ben de enige single in ons groepje," stelde Celina vast, maar ze merkte dat het geen pijn meer deed. Ze gunde Niki Dennis. Niki was een van haar beste vriendinnen, dus... Als het een ander was geweest... was het anders geweest. Al zou het wel moeilijk zijn om hem vaker tegen te komen. Als ze op bezoek ging bij Niki... dan was hij er misschien ook. Nou ja, alles kon je leren, ook toneelspel. Ze trok een grimas naar haar wasgoed in de emmer.

„Sonja krijgt nooit een relatie," zei Femke achter haar vanuit de keuken. „Dat wil ze niet. Diep vanbinnen wil ze dat niet."

„Dat dacht ik ook, maar ze was zaterdag zo enthousiast bezig dat ik de indruk kreeg dat ze toch genoeg heeft van haar eenzame bestaan." Celina haalde haar schouders op. „Misschien horen we het straks wel."

Femke dekte de kleine keukentafel. „Glaasje rosé?"

„Hé, het is een gewone maandagavond, hoor."

„Het is helemaal geen gewone avond," zei Femke grijnzend. „Ik heb net met de leukste man van de wereld gesproken."

„Oeps, vergeten."

„Vergeten? Hoe kún je zoiets vergeten?" riep Femke quasiwoest uit. Dreigend kwam ze met de geopende fles op haar af. Ze hief de fles omhoog en vroeg: „Waar wil je die rosé hebben?"

„Het liefst in een glas!" gilde Celina die de bui al zag hangen. „Wacht, ik haal twee glazen." Ze rende naar de kamer en kwam al snel terug met twee kanjers van wijnglazen. „Ik heb niks schoons meer om aan te trekken," zei ze vrolijk. „Vandaar." Ze hield de glazen bij en Femke schonk ze allebei tot de rand toe vol.

„Wie rijdt er straks eigenlijk?"

„Oeps," zei Femke giechelend. „Vergeten."

7

„Dat hebben jullie keurig gedaan. De klas is helemaal aan kant. Ik ben trots op jullie," zei Niki terwijl ze de kinderen van groep 2 aankeek. „Ik zou jullie eigenlijk eens een dagje mee moeten nemen naar mijn huis. Daar moet ook hoognodig opgeruimd worden."

„Ik, juf! Ik wil wel mee!'

„Nee, ik!"

De kinderen begonnen door elkaar heen te schreeuwen en Niki moest ze manen stiller te zijn. „Het was een grapje, jongens. Ik bedoel: eigenlijk moeten jullie wat van mij leren, maar als het om opruimen gaat, kan ik nog wat van jullie leren."

„Maar ik wil best bij jou opruimen, juf!"

„Dat geloof ik graag, maar ik moet het zelf leren. Zo groot ben ik nu toch wel." Ze lachte, maar trok er een raar gezicht bij. De kinderen lachten om hun juf.

Niki keek op haar horloge. „De dag zit erop. De week trouwens ook. Over een paar tellen gaat de bel en dan mogen jullie naar huis. Maar rustig, hè. In school wordt niet geschreeuwd."

„Boeh!" riep de brutaalste jongen uit de klas.

Niki keek hem aan en hij hield zich in. Tegelijk ging de bel. Hij vloog overeind. Zijn stoel viel om en klapte tegen de vloer. Niki was sneller en had hem nog net bij de deur te pakken. Hij lachte naar haar en zij lachte terug. Het was een spelletje, ze wisten het allebei, maar Niki moest er wel voor zorgen dat zij de baas bleef, anders speelde hij straks alleen nog met haar en zij niet meer met hem. „Je stoel," zei ze terwijl ze hem een serieuze blik toewierp.

„Kan ik het helpen dat ie zo los op de vloer staat."

„Oprapen, Daan." Ze bleef hem doordringend aankijken

en hij knikte, liep de klas in en zette zijn stoel weer overeind.

Niki liep de gang op, achter de kinderen aan. „Fijn weekend, allemaal," riep ze.

„Jij ook, juf. Dag!"

Bij de uitgang bleef ze naar buiten staan kijken. De kinderen verdwenen een voor een het schoolplein af. De meesten werden opgehaald, een paar liepen zelf naar huis omdat ze vlakbij woonden. Drie werden er met een busje opgehaald voor de naschoolse opvang. Toen al haar kinderen verdwenen waren, draaide ze zich om en liep het schoolgebouw weer in. In de klas keek ze nog een keer rond of echt alles opgeruimd was, toen pakte ze de stapel schriftjes en liet die in haar tas glijden.

Een vrolijk muziekje trok haar aandacht en gespannen haalde ze haar mobiele telefoon tevoorschijn. „Wat krijgen we nou?" zei ze hardop. Er was haar een foto toegestuurd. Vol verbazing keek ze naar een stralende Maaike in een schitterende, sneeuwwitte trouwjurk met sluier en sleep en een boeket in haar handen.

„Heb je even?"

Met een ruk draaide Niki zich om en keek de man die het lokaal was binnengekomen, geschrokken aan.

„O, sorry, had je me niet gehoord?"

„Nee," zei ze veel harder dan ze bedoelde. Meteen wist ze ook weer wie het was. De vader van Anouk, de 'hunk'. Rustiger ging ze verder: „Dag. Hoe is het met Anouk?"

„Ze is vanmorgen thuisgekomen."

„Dat is geweldig nieuws, maar waar kom je voor? Kan ik iets voor je doen?"

„Ja, je zou een kop koffie met me kunnen gaan drinken."

„Koffie? Terwijl Anouk vandaag thuisgekomen is?"

Hij lachte. „Ja, de rust is weergekeerd. Helaas. Je weet vast wel dat Anouks moeder en ik gescheiden zijn, en toen ze in het ziekenhuis lag, ging ik lekker elke dag naar haar toe, maar nu ze weer thuis bij haar moeder is, moet ik me weer aan het schema houden van elke twee weken een weekend. Dus ik heb dit hele weekend vrij en jij?"

Niki was zo verrast, dat ze even niets wist te zeggen. Verdikkie. Normaal stond ze nooit zo met haar mond vol tanden.

„Tenslotte vind ik je een lekker ding," zei hij grijnzend. Hij stak zijn hand uit. „Ik ben Jasper."

„Jasper," herhaalde ze overrompeld.

„Nou? Komt het gelegen of wil je niet? Misschien ben je wel niet eens zo vrij als Anouk beweert?"

Weer begon haar mobiele telefoon te spelen. Hij keek naar het ding dat ze op haar bureau had laten vallen toen ze schrok van zijn binnenkomst. „Wat? Ga je trouwen?" riep hij uit. De foto was nog duidelijk in beeld.

„Ik niet!" lachte ze. „Mijn vriendin."

„O, ik schrok al."

Ze keek hem aan. Hij was echt mooi, dat had ze meteen de eerste keer al gezien. En hij verwarde haar.

„Moet je niet opnemen?"

„O ja, sorry." Ze keek wie het was. „Maaike, het komt nu niet zo goed uit. Wat?" Ze zette grote ogen op. „Ik zou wel willen, maar... Ja, ja, oké. Ik bel je." Ze verbrak de verbinding. „Dat was mijn vriendin die gaat trouwen. Ze is met een stel andere vriendinnen in een bruidswinkel hier vlakbij. Trouwjurken aan het passen. Of ik ook kom."

„Laten we samen gaan. Kan ik meteen zien of jou zoiets ook staat en daarna drinken we ergens koffie, of misschien wil je wel met me uit eten."

Dennis, schoot het haar door het hoofd. Ze had haar zinnen op Dennis gezet, maar die had nooit tijd, moest altijd werken of had wat anders te doen. Bovendien, ze had nog niets met hem en Jasper was wel erg mooi en verleidelijk. „Oké," zei ze spontaan. „Laten we gaan." Ze greep haar spullen bij elkaar, stopte alles in haar tas bij de schriftjes en liep lachend naar haar jas, die in de hoek van het lokaal hing. Automatisch keek ze nog een keer rond of alles in orde was in de klas, toen stapte ze de gang op en sloot de deur. Het weekend was begonnen en het beloofde een heel speciaal weekend te worden. Een geheimzinnige glimlach speelde rond haar lippen. Dennis… Jasper…

In de winkel, waar ze lopend naartoe gegaan waren, vonden ze drie giebelende meiden. „Hoi, is Maaike in de paskamer?" vroeg Niki toen ze binnenkwamen.

Niemand gaf echter antwoord. Ze keken allemaal stomverbaasd naar de mooie man die achter Niki aan de winkel in kwam.

„O, dit is Jasper," zei ze terloops. „Maaike? Waar zit je?"

Een gordijn ging open en een verhit gezicht gluurde de winkel in. „Niki, je bent er tóch. Precies op tijd, want dit is echt de mooiste jurk van de hele winkel." Het gordijn viel weer dicht.

Niki keerde zich naar Jasper, maar die was ijverig in een rek aan het zoeken en haalde opeens een witte trouwjurk tevoorschijn met een diep decolleté. Hij hield hem haar voor en keek haar olijk aan. „Dit lijkt me wel wat voor jou."

Weer ging het gordijn open. Er kwam een vrouw uit die de verkoopster wel moest zijn. Ze haastte zich naar Niki en Jasper. „Kan ik jullie ergens bij helpen?" Ze keek hem zo fronsend aan, dat het wel duidelijk was dat ze er niet aan gewend was dat er mannen in haar winkel kwamen.

Hij lachte zijn beminnelijke lach naar haar. „Ik weet wel dat het een verrassing moet blijven waarin mijn toekomstige vrouw zich kleedt op de dag aller dagen, maar ik wou haar toch even een tip geven over mijn smaak. Ik moet er niet aan denken dat ze in een bruidsjurk aan komt zetten die ik niet mooi vind."

Ze knikte hem met een brede glimlach rond haar mond toe. „Daar kan ik me wel iets bij voorstellen. Wil je deze even passen?" vroeg ze aan Niki.

„Echt niet. Ben je mal!" Ze schoot in de lach. „Toekomstige vrouw! Poeh. Hij heeft me nog niet eens gevraagd!" floepte ze eruit.

Femke, Sonja en Lindy waren dichterbij gekomen en keken nieuwsgierig toe. Wat was hier aan de hand? Sinds wanneer kende Niki deze spetter?

„Is dat het probleem?" zei Jasper met een ernstig gezicht, maar zijn ogen fonkelden ondeugend. Hij zakte door de knieën en pakte haar rechterhand, maar mét dat hij zijn mond open wilde doen, vloog ook het gordijn van de paskamer open. Alle blikken keerden zich naar Maaike, die de winkel binnenschreed, want lopen kon je het niet noemen.

„Ooooh," zeiden ze in koor. Zelfs Jasper was onder de indruk. Met bewonderende ogen keken hij naar de prachtige bruid.

„Wat gebeurt hier?" vroeg Maaike, terwijl ze van de geknielde Jasper naar de staande Niki keek.

„O, hij wilde haar net ten huwelijk vragen," riep de verkoopster geïrriteerd uit. „Je kwam wel erg ongelegen tevoorschijn."

„Niks ongelegen," bromde Jasper, die eindelijk weer overeind kwam. Hij veegde wat denkbeeldige pluisjes van zijn donkerbruine broek en keek Maaike aan. „Had ik toch bijna de verkeerde gevraagd!" riep hij uit.

Maaike schudde haar hoofd. „Ik ben al gevraagd, schat, anders stond ik hier niet. Dus ga alsjeblieft door met waar je mee bezig was. Ik wacht wel even. Met plezier zelfs."

Jasper keek naar Niki. Haar ogen twinkelden. „Ik ook," zei ze ondeugend.

Hij zakte weer door de knieën, pakte opnieuw haar hand en keek haar ernstig aan. „Wil je met me trouwen… over tien jaar. Als we elkaar dan nog steeds leuk vinden?"

„Ja!" riep Niki lachend uit. „Als en dan!" Haar rode krullen dansten op en neer. „Afgesproken."

„Ik wist het wel." Hij grijnsde van oor tot oor en kwam weer overeind. Opnieuw hield hij haar de trouwjurk voor, maar Niki schudde haar hoofd. „Denk je nou echt dat ik over tien jaar in deze jurk wil trouwen? Zeg, ik ben wel iemand die graag met de mode mee doet en over tien jaar is deze hopeloos ouderwets."

„Eerlijk?" Maaike sloeg een hand voor haar mond en keek beteuterd naar de prachtige jurk die zij aan had.

Sonja haastte zich naar haar toe. „Jij gaat toch niet pas over tien jaar trouwen," riep ze uit.

„Weet ik veel hoe lang het duurt voor een huis gebouwd is," zei ze verward. „En ik wil wel in een jurk trouwen die de nieuwste mode is."

„Maaike. Dat duurt echt geen tien jaar!" Ook Lindy was op haar afgekomen.

„Wat is er aan de hand?" De verkoopster duwde de vriendinnen opzij en keek de bruid aan. „Ga je niet trouwen?"

„Natuurlijk wel!" riep Maaike boos uit. „Alleen niet volgende maand of zo. Het kan nog wel een jaar duren."

„Trek uit," zei ze. „Ik heb wel wat anders te doen dan jullie bezig te houden." De verkoopster duwde haar hardhandig de paskamer in. „Het is ook altijd hetzelfde," mompelde ze. „Ik snap niet wat er zo leuk aan is om trouwjurken te passen als je niet eens trouwen gaat."

„Maar ik ga wel…" protesteerde Maaike, maar verder kwam ze niet, omdat de verkoopster ruw de rits op haar rug lostrok en haar begon uit te kleden met het gordijn nog open.

„We wachten op je, hoor," zei Femke en trok het gordijn dicht.

De vier vriendinnen wisten niet goed hoe ze zich gedragen moesten. Eigenlijk hadden ze zin om in een vreselijke lachbui uit te barsten, maar dat zou de verkoopster niet leuk vinden en die was nog bezig met Maaike. Toen ze echter tien minuten later buiten stonden, konden ze zich niet langer inhouden. Gierend van de lach liepen ze door de straat. Ook Jasper had grote lol. „Kom op," zei hij, „koffie op mijn kosten."

Dat lieten ze zich geen twee keer zeggen en al snel zaten ze in een croissanterie, waar de broodjes lekkerder roken dan de koffie. „Ik trakteer op een broodje," riep Sonja uit. Ze sloeg met haar hand op haar jaszak. „Mijn portemonnee is goed gevuld," zei ze vrolijk. „Het is toch wel lekker om wat beter in de slappe was te zitten," zei ze, duidelijk toch blij met haar drie maanden durende baantje bij de pottenbakker. „Je kunt veel meer dingen kopen dan anders en je kunt veel meer plezier maken."

„Was je daarom zaterdag zo uitgelaten?" vroeg Femke.

„Yep. Misschien moet ik toch in de toekomst maar vaker een baantje nemen van een paar maanden. Telkens maar een week of een paar dagen, betekent ook telkens weer een of meer dagen zonder werk en dat verschil merk ik nu opeens heel goed."

„We dachten eigenlijk dat je eindelijk besloten had toch maar aan de man te gaan."

Sonja kleurde. „Besloten, besloten. Zoiets besluit je niet. Je komt hem tegen of niet."

„Dat ben ik met je eens," zei Jasper. Hij knipoogde naar haar.

Sonja lachte terug, maar wierp stiekem een blik op Niki. Zat hij nou met haar te flirten? Terwijl hij met Niki gekomen was? Ze draaide haar hoofd af en keek naar het bord boven de balie. „Nou? Broodje gezond of broodje warm vlees? Shoarma? Zeg het maar."

„Niks ervan," vond Maaike. „Ik heb jullie naar de stad gevraagd, dus ik betaal."

Ergens was Sonja wel blij met die opmerking, want zo superveel geld had ze nou ook weer niet en eigenlijk wilde ze ook eindelijk eens een beetje gaan sparen.

„Ieder de helft," zei ze.

„Oké."

„Heb ik ook nog wat in te brengen?" vroeg Jasper met zijn donkerbruine, warme stem.

„Nee," zeiden de vrouwen in koor. „Jij betaalt de koffie."

„Meneer!" Opeens stond er een jong meisje bij hun tafeltje. Ze keek Jasper met een strak gezicht aan.

„We willen allemaal koffie met iets erbij, maar we betalen niet," zei hij.

Ze knikte en keek van de een naar de ander. Schreef de bestellingen op en liep weer weg.

„We betalen niet?" Niki keek hem vragend aan.

„Nee, waarom zouden we?" zei hij. Zijn ogen lachten.

„Ja, waarom zouden we," herhaalde Niki. „Au!" Verwijtend keek ze naar Femke, die haar een por had gegeven.

„Moet je niet ook hoognodig naar het toilet?" vroeg Femke haar.

„Da's waar ook."

Het volgende moment zat Jasper alleen aan het tafeltje.

„Wie is dat? Waar ken je hem van? Wat een stuk. Hoe heb je die voor ons geheim kunnen houden?" De vragen vlogen Niki rond het hoofd.

„Hou op!" gilde ze en sloeg haar handen voor haar oren. „Ik heb jullie wél van hem verteld. Hij is de vader van Anouk, dat zieke meisje. Hij stond net onverwachts op school en Maaike belde juist dat jullie in die bruidswinkel waren..."

„En toen heb je hem maar meegenomen... Alsof het normaal is om wildvreemde mannen mee te nemen naar een bruidszaak."

„Wildvreemd!" riep Niki uit.

„Nee, ze zijn al behoorlijk intiem met elkaar, hoor," zei Femke. „Ze noemen elkaar al 'hunk' en 'lekker ding'."

Sonja en Lindy schoten in de lach. Ze herinnerden zich het verhaal weer. „Een lekker ding is hij zeker," zei Sonja.

„Ja, en gescheiden en single, alleen..." Niki zuchtte en sloeg haar ogen naar boven, „... hij is Dennis niet."

„Dat dacht ik ook," zei Sonja, „dus misschien is ie wat voor mij?"

Even wist Niki niets terug te zeggen. Ze dacht aan Dennis, die nooit vrije tijd had en stugger was dan ze verwacht had en ze dacht aan Jasper, die juist alle tijd had en daarnaast heel spontaan en impulsief. Wie wilde ze zélf nou eigenlijk? „Misschien..." aarzelde ze.

„Als jij hem wilt, doe ik niets natuurlijk," zei Sonja, „maar je moet wel iets duidelijker zijn."

„Dat is het hem juist. Dat kan ik niet. Ik wil ze allebei!"

„Jasper én Dennis?"

„Ja!"

„Ook goed," zei Sonja berustend. „Ik was toch nog niet toe aan iets serieus." Ze ging een toilet in en even later hoorden de anderen haar 'Daar komt de bruid' neuriën.

„Je was mooi," zei Niki. „Echt heel mooi."

„Ja, hè?" Maaikes ogen straalden. „Ik vóelde me ook mooi."

„En gelukkig," zei Femke met een warme blik in de ogen. „Ik vind het zo heerlijk voor je."
„Dank je. Nou jullie nog."
„Heb je die foto van jou in bruidsjurk ook aan Celina gestuurd?" vroeg Femke. „Wat zal ze het jammer vinden dat ze niet mee kon."
„Wat moest Celina dan?" vroeg Niki.
„Werken. Het is een gewone vrijdagmiddag. Toevallig had ik een snipperdag en Sonja was vroeg klaar, maar Celina zit nog steeds met haar handen in het haar."
„Kom op," zei Sonja, die weer van het toilet af kwam. „Op naar jouw lekkere ding!"
Giechelend kwamen ze een paar minuten later de broodjeszaak weer binnen, waar Jasper nog netjes aan het tafeltje zat te wachten. „Ik weet niet wie van jullie zo in de picture staat, maar op één telefoon zijn net wel drie sms'jes binnengekomen," zei hij, maar schoot ongewild in een hartelijke lach toen hij vijf vrouwen in hun jassen en tassen zag duiken.
„Ik was het!" riep Femke uit. Haar wangen sloegen rood uit toen ze de berichtjes begon te lezen. „Ooooh," verzuchtte ze luidkeels.
„Espresso?" vroeg de serveerster.
„Voor mevrouw, daar, die kan wel een versterkinkje gebruiken," zei Jasper.
Femke keek op. „Maar ik had een koffieverkeerd besteld."
„Dat was dan verkeerd," zei Jasper olijk, maar hij knikte naar de serveerster, die de fout herstelde.
„Nou?" vroeg Lindy.
„Van Benny," zei Femke stralend.
„Alle drie?"
„Ja."
„Kan ie niet beter bellen?" vond Sonja.
„Geen tijd," zei Femke. „Vanavond trainen, later op de

avond draaien en morgen een voetbalwedstrijd."
„Druk mannetje."
„Het lijkt Dennis wel," mompelde Niki.
„Wie?" vroeg Jasper belangstellend.
Ze sloeg geschrokken een hand voor haar mond, maar ze werd gered door de serveerster die een broodje met warm vlees voor haar neerzette. „Bedankt," zei ze beleefd, maar draaide zich snel naar Femke om te voorkomen dat Jasper de vraag zou herhalen. „Hebben jullie nou al een afspraakje?"
„Nee, hij vroeg voor volgend weekend. Hij moet dan draaien in een heel toffe tent hier in de stad, maar dan kan ik niet. Dat is óns weekend, toch?"
„Nou ja, voor één keer..." zei Niki aarzelend.
„Niks voor één keer," zei Femke beslist. „Als je het één keer toestaat, is het hek van de dam. Wij hebben onze weekenden en daar zal hij zich bij neer moeten leggen. Meteen vanaf het begin."
„Misschien kunnen we met zijn allen daarheen gaan," stelde Sonja voor.
Niki's gezicht betrok. „Ik dacht..." Ze haalde haar schouders op. „Nou ja, die gave tent die ik gevonden heb, loopt niet weg natuurlijk."
Femke schudde haar hoofd. „Nee, hoor. Benny is te gek, maar jullie gaan voor en onze plannen staan vast. We zouden met jou naar de coolest tent in town en dat doen we ook. Natuurlijk wil ik graag een vriend, maar niks of niemand komt tussen jullie en mij in te staan en afspraak is afspraak."
„Nou, dan kan ik maar beter opstappen," zei Jasper lachend. „Dan is er voor mij ook geen plaats."
„Zo is het maar net," zei Niki. „Als wij met elkaar uitgaan, willen we daar geen mannen bij hebben."
„Dat is duidelijk." Jasper keek van de een naar de ander. „Ik zal dooreten." En om de daad bij het woord te voegen,

zette hij zijn tanden in zijn broodje gezond.

„De coolest bar van de wereld staat trouwens in Reykjavik. Wisten jullie dat?" Sonja keek triomfantelijk om zich heen.

„Reykjavik?" Ze keken haar verbaasd aan.

„Ja, de hoofdstad van IJsland."

„Hè, hè, zo dom zijn we nou ook weer niet," zei Maaike.

„Daar is een bar die écht cool is." Ze gniffelde. „De nieuwe vriend van mijn moeder is er ooit eens geweest..."

„In Reykjavik is alles cool," bemoeide Jasper zich ermee.

„Koel, zul je bedoelen. Dat wel natuurlijk, maar niet zo koel als die bar. De tafeltjes en stoelen en de muren zijn er van ijs gemaakt! Je krijgt een heuse bontjas aan als je daar een drankje gaat drinken!"

„Dat meen je niet!" riep Maaike lachend uit.

Sonja knikte ijverig. „Lijkt me echt gaaf!"

„Zó cool is mijn tent niet," gaf Niki grinnikend toe. „Mijn coole tent is hot!"

„En dat is precies wat we zoeken," zei Lindy. „Wij houden van hot."

„Ik snap 't," zei Jasper. „Ik ben echt niet gewenst. Mijn dochtertje vindt mij een coole vader, maar dat zoeken jullie dus niet." Hij grijnsde. „Ik zal jullie maar alleen laten. Kunnen jullie zonder deze coole kerel aan je weekend beginnen."

„Zeg, wacht eens," bedacht Sonja. „Dit ís ons weekend helemaal niet."

„Je hebt gelijk!" riep Maaike uit, terwijl ze een blik op haar horloge wierp. „En we moeten weg ook. Luc en ik zouden naar de bios. Iedereen klaar met eten?" Maaike keek naar Lindy, Sonja en Femke, die met haar in de auto gekomen waren.

„Ja, even betalen," zei Sonja. Ze haalde haar portemonnee tevoorschijn.

„Niks ervan," zei Jasper. „Niki, ben je ook klaar?"
Ze knikte.
„Kom op dan."
Sonja keek hem verbijsterd aan. „Als we niet betalen, moeten we afwassen en daar heb ik echt geen zin in."
Hij grijnsde. „Wedden van niet?" Hij trok hen mee en duwde hen de croissanterie uit. In de deuropening stak hij zijn hand op naar de serveerster, die hem vriendelijk toeknikte. „En nou wegwezen," zei hij tegen vier dames, maar Niki hield hij bij een elleboog vast.
„Doe Celina de groeten," riep Niki Femke nog na.
„Van mij ook!" riep Jasper.
Ze keek hem aan. Hij was een aparte man. Heel volwassen, beleefd en attent, maar tegelijk ook heel jongensachtig, ondeugend en grappig. Dominant, maar ze voelde dat hij ook heel teder kon zijn. Ze zag zijn gezicht langzaam dichterbij komen en ze realiseerde zich dat hij haar ging kussen. Wilde ze dat wel? Ze kende hem amper. Ze kreeg echter de kans niet om daarop een antwoord te bedenken, want het volgende moment beroerden zijn lippen de hare. Het gebeurde zo zacht, dat ze het tot in haar tenen voelde. Ze werd volkomen overrompeld door de tederheid waarmee hij haar aanraakte en ze merkte dat haar knieën begonnen te knikken. Elk eventueel protest werd in de kiem gesmoord.
Zijn handen gleden rond haar lichaam, hij legde ze op haar rug en hield haar stevig vast. Toch was ze bang dat ze door haar benen zou zakken, zo fel reageerde haar lichaam. Ze pakte zijn armen beet om zichzelf staande te houden. Hij zag dat als een aanmoediging en drukte zijn lippen steviger op de hare. Ze rook zijn aftershave, voelde zijn gladde kin tegen haar huid, voelde hoe hij zijn lippen dwingender tegen haar mond drukte en ze verloor zich in een minutenlange zoen.
Toen hij haar mond losliet, was ze even totaal vergeten

waar ze was en keek ze verdwaasd naar de mensen die door de winkelstraat liepen. Dennis! schoot het onverwachts door haar heen. Ze schudde haar hoofd, wist niet wat er gebeurd was en wat ze moest doen.

Hij glimlachte. „Je smaakt heerlijk," zei hij met een lieve klank in zijn stem. „Zullen we nog ergens een drankje gaan drinken?"

„Waar ben je mee bezig?" vroeg ze uiteindelijk. Ze schudde haar hoofd om wakker te worden. Het was best lang geleden dat ze gezoend was en dan ook nog eens zo! Op deze heerlijke, intense manier. Ze voelde dat het moeilijk zou zijn hem weg te sturen, want de zoen smaakte alleen maar naar meer. Toch hoorde ze opnieuw het stemmetje in haar hoofd de naam van Dennis uitspreken en dat maakte dat ze aarzelde.

„Nou?"

„Ik eh..."

„Moet ik mijn excuses aanbieden? Misschien wel," zei hij. „Het gaat natuurlijk tegen alle regels in om een onbekende vrouw zomaar op straat te zoenen, maar..." Hij keek haar ondeugend aan. „Je zag er zo verleidelijk uit. Ik kon die prachtige mond gewoon niet weerstaan!"

„Oké," nam ze de beslissing. „We gaan nog ergens wat drinken."

„Je bent een schat. Hoe ben je eigenlijk? Heb je ergens een auto staan?"

„Ik ga altijd lopend naar school, dus dat is geen probleem. Zolang we in het centrum blijven, vind ik mijn huis lopend wel weer terug."

Hij bracht haar naar een gezellige bar waar ze een heerlijke cocktail van hem kreeg, een felblauw drankje met oranje rietjes erin. Ze wist niet of het de kleurencombinatie was die naar haar hoofd steeg, de alcohol die erin zat of Jaspers aanwezigheid, maar ze voelde zich helemaal geweldig!

Ze hadden genoeg om over te praten en voor ze het wist was het elf uur.

„Ik wil eigenlijk wel naar huis," zei ze. „Ik begin moe te worden. Heb een drukke week achter de rug. Ik wil gewoon nog even languit in bad zitten en ontspannen."

„Is het dan geen ontspanning om bij míj te zijn?" vroeg hij. Hij legde zijn hand op de hare en keek haar teder aan.

„Nee," zei ze lachend. „Echt niet." Maar meer zei ze niet. Ze wilde hem niet vertellen dat ze zijn lippen nog op haar mond voelde, dat haar hele lichaam verlangde naar meer, maar dat ze tegelijk de hele tijd aan Dennis moest denken, die de afgelopen weken voortdurend in haar gedachten was geweest en die ze nu niet ineens aan de kant kon schuiven. „Nee, ik wil naar huis."

„Mag ik mee?"

Ze schudde haar hoofd. Haar rode krullen dansten op en neer. Hij zag het en gleed er liefkozend met zijn hand doorheen. „Toe, doe niet zo flauw. Laat me meegaan. Samen in bad is twee keer zo ontspannend."

„Nee," hield ze vol. „Je hebt me vandaag al een paar keer overrompeld, nu hou ik voet bij stuk."

Ze zag zijn gezicht betrekken, maar daar kon ze niet mee zitten. Ze had tijd nodig haar gedachten op een rijtje te krijgen voor hij ooit bij haar in bad zou stappen. Ze kwam overeind, pakte haar tas op en zocht naar haar portemonnee. Hij legde zijn hand erop, als om aan te duiden dat ze niet hoefde te betalen.

„Dat is ook zo," lachte ze. „Jij loopt altijd weg zonder te betalen. Oké, dan. Bedankt voor een heerlijke avond." Ze boog zich naar hem toe om hem een kus op zijn wang te geven.

„Wacht, ik loop een eindje met je mee. Mijn auto staat bij

jouw school geparkeerd." Hij stond op en liep naar de bar, betaalde voor de drankjes en kwam op haar af, sloeg een arm om haar heen en duwde haar naar buiten waar de frisse avondlucht weldadig aan deed aan haar gloeiend hete wangen.

„Dus soms betaal je wel?" vroeg ze lachend.

„Ik ben niet van alle kroegen, bars en croissanterieën in de stad de eigenaar!" reageerde hij lachend.

8

Zaterdag:

Luc vindt het maar stom dat ik al trouwjurken gepast heb, sms'te Maaike naar Femke, Niki, Celina, Sonja en Lindy.

Het is dat het Luc is, sms'te Niki terug, *anders zou ik zeggen: dumpen die gozer* ☺

Heeft hij nu nóg geen verstand van vrouwen? vroeg Femke zich af.

We hebben met 3-0 gewonnen, schreef Benny aan Femke. *Kom je volgende week naar Hottop?*

Kunnen we elkaar vanavond niet zien? schreef Femke met rode wangen terug.

Wat heb je na ons met Jasper uitgespookt? vroeg Sonja aan Niki. *Is ie al vrij of wil jij hem?*

Kweenogsteedsnie, sms'te Niki terug. *Hij is wel erg cool eh... hot!*

Vertel!

Zondag:

Heb jij nu twee vriendjes? durfde Celina aan Niki te sms'en.

☺ was alles wat er terugkwam.

Wanneer zie ik je weer? sms'te Jasper naar Niki. *Ik wil je overal zoenen!*

☺ sms'te ze vertwijfeld terug.

Maandag:

Er zijn er nog twee die onze bouwkavel willen hebben, nu moeten ze loten, sms'te Maaike teleurgesteld.

We duimen!

We gaan een actie houden op het gemeentehuis. We gaan borden maken. 'Kavel is voor Maaike' schilderen we erop!

Hou vol, jullie krijgen hem!

Dinsdag:

Bij wie zijn jullie zaterdag na de wedstrijd? vroeg Maud in een sms'je aan alle vriendinnen.

Wat moeten we aan naar die tent van jou? sms'te Femke aan Niki. *Hoe hot is het er?*

Bijna niks! Zo hot! Met z'n hoevelen komen jullie eigenlijk? Ik heb maar twee luchtbedden en mijn eigen grote bed, dus drie slaapplaatsen en een bank, maakt vier.

Je hoort van me!

Wie is er in voor een zaterdag stappen in de stad? Zelf een luchtbed en slaapzak meenemen!

Woensdag:

Vanavond wil ik je zien, sms'te Jasper aan Niki. *Half acht in restaurant La Cuisine.*

Waarop Niki naar Dennis in een sms'je schreef: *Ik wil je zien, schat, ik verlang naar je, ik wil je, vanavond!*

Heb dienst, joh, kan echt niet, was Dennis' reactie.

Ik ben er, Jasper, sms'te Niki.

Super, reageerde Jasper opgetogen.

Sonja, Celina, Maaike, Lindy, Maud, Inge en ik. Om twee uur op het voetbalveld, na de wedstrijd met jouw en mijn auto naar jouw stekkie. Oké? sms'te Femke naar Niki.

Hé, ben je weg of zo? Oké? herhaalde Femke. *We nemen drie luchtbedden mee.*

Niki reageert nergens op. Weet iemand waar ze zit? sms'te Femke naar de groep.

Jasper of Dennis, schreef Sonja laconiek terug.

Donderdag:

Als jullie ook in de gang willen slapen, dan is het prima! Ik was trouwens uit, sms'te Niki eindelijk terug aan Femke.

Met Jasper of Dennis?

☺

Ik word gek van jou. Wees toch eens duidelijk! sms'te Femke lachend.

Niki heeft echt twee vriendjes, dat kan niet anders, zette Femke in een berichtje naar alle vriendinnen, *maar we zijn allemaal welkom.*

Dat kan niet, reageerde Sonja, *ik neem Jasper wel.*

Afblijven! sms'te Niki.

Vrijdag:

Pizza of chinees? sms'te Niki rond.

Jasper, sms'te Sonja terug.

Gegrild of gebraden?

Uit de diepvries graag.

Smaken verschillen, ik heb hem liever uit de oven.

Tot morgen!

See you!

Later!

Zaterdag:

„Oké, ik zal eerlijk zijn," verzuchtte Niki, terwijl ze de groep rond keek. Haar kamer was best ruim, maar nu ze zeven vriendinnen op bezoek had en ze er dus met acht meiden zaten, werd het toch wat krap in de huiskamer. Femke zat met haar rug tegen een grote wandkast vol boeken, cd's en dvd's. Celina en Sonja zaten op de vloer. De rest zat op de bank gepropt of op een stoel.

„Pas op voor die stapel schriften," riep Niki uit, toen ze zag dat Celina ze met haar elleboog om duwde. Ze kwam overeind om de schriften te redden. „De kinderen vergeven het me nooit als die kreuken of wegraken." Ze liep naar haar slaapkamer, legde ze daar in de kast en hoopte dat ze maandagmorgen nog zou weten waar ze ze gelaten had.

Ze ging weer op haar plekje tussen Maaike en Lindy in zitten, maar kreeg het er warm van. „Wacht." In de keuken vond ze nog een kruk, nam die mee en ging opnieuw zitten.

Ze waren 's middags naar de voetbalwedstrijd van v.v. Veldhuizen geweest. Weer hadden de jongens gewonnen. Ze stonden inmiddels bovenaan in de competitie en werden een geduchte tegenstander voor de anderen. Na de wedstrijd hadden ze nog een biertje gedronken, maar lang waren ze deze keer niet in de kantine gebleven. Vanavond zouden ze naar de stad en daar verheugden ze zich allemaal op.

Met acht meiden, acht tassen vol kleding, drie luchtbedden en vijf slaapzakken hadden ze zich in de auto's van Niki en Femke gepropt en waren ze naar Niki's bovenetage gereden. Daar hadden ze het krat bier van het balkon gehaald en Niki geholpen chips en zoutjes in de schaaltjes te doen. Normaal zouden ze meteen hun kleren uit hun tassen gehaald hebben, maar ze waren deze keer allemaal zo nieuwsgierig naar Jasper dat ze Niki het hoofd gek gezeurd hadden en nu dus met de hele groep in de kamer zaten.

„Nou?" vroeg Femke ongeduldig.

„Ja, ja, maar jij bent eerst. Hoe loopt het met Benny?"

Femke tuinde er met open ogen in, had niet door dat het een afleidingsmanoeuvre van Niki was. „Super!" riep ze uit. „Hij stuurt zulke leuke sms'jes en hij heeft me gebeld. Hij heeft zo'n heerlijke stem. Volgend weekend gaan we samen iets doen."

„Echt?" De meiden gilden.

„Yep! Dat heeft hij beloofd en ik geloof zeker dat hij het dan doet ook!"

„Leuk voor je!"

Femkes wangen kleurden. „Vanavond is hij ook hier in de stad..." begon ze toch nog een keer aarzelend.

„Ja, wat wil je nou?" vroeg Niki enigszins kort aangeboden.

„Sorry, sorry, maar de gedachte dat hij hier ook ergens is… maar nee, natuurlijk niet, we gaan naar die bar van jou."

„We gaan op kroegentocht," riep Niki uit. „Ik heb al een hele route uitgestippeld, die we prima kunnen lopen. Hebben we geen taxi nodig vandaag."

„Precies," riep Maaike uit. „Hoe zit het met je taxichauffeur? Dennis dus?"

„En met Jasper?" vulde Sonja aan. „Je kunt wel denken dat wij gek zijn en jou vergeten als jij over Benny begint, maar zo is het echt niet. Nou?"

Niki keek even schuldbewust naar haar handen. Ze haalde haar schouders op en keek hen met een hulpeloze blik in de ogen aan.

Vreemd, dacht Celina, zo kijkt ze nooit. Als er iémand zelfbewust is, dan is het Niki wel.

„Oké." Maar ze zei nog steeds niets. Ze peuterde aan de knalrode nagellak op haar ene pink en zuchtte nog eens diep. Iedereen was muisstil, want dit was een erg vreemde reactie van Niki, die normaal altijd erg luidruchtig was. Opeens gooide ze haar haren naar achter en keek op. Haar ogen stonden trots. „Het kan me niets schelen wat jullie ervan vinden, maar ik wil ze allebei."

„Wat? Joh, je bent gek! Eerlijk?" Ze riepen allemaal door elkaar, maar Maaike maande ze om stil te zijn. „Laten we nou eerst eens luisteren wat er aan de hand is. Niki, kom op, leg uit."

„Hebben jullie dat dan nooit?" zei Niki ter verontschuldiging. „Aan de ene vind je dit leuk, aan de ander dat. Nou, ik kan niet kiezen en toen dacht ik: Waaróm zou ik eigenlijk kiezen als ik ze allebei kan krijgen? Dus dat heb ik besloten."

„Maar hoe doe je dat dan? Stel dat ze elkaar tegenkomen."

Niki lachte. „Nee, zo slim ben ik wel. Ik heb tegen allebei gezegd dat ik vreselijk druk ben en dat ze me dus altijd eerst moeten bellen als ze me zien willen. Dat gaat niet mis, echt niet."

„Maar hoe ís Jasper?" wilde Sonja weten, die duidelijk nog onder de indruk van zijn verschijning was.

„Super! Ik ben nog nooit zo gekust."

„Hoe?"

„Ach..." Ze kreunde bij de herinnering. „Hij ruikt zo lekker en hij is zo zacht, maar tegelijk ook dwingend. Een heel bijzondere combinatie. Hij kan behoorlijk dominant overkomen. Hij sms't bijvoorbeeld: 'Vanavond om half acht in La Cuisine' en dan duldt hij geen tegenspraak. Ik hou wel van mannen die weten wat ze willen. Tegelijk is hij zo lief en wil hij alleen maar dat ik het naar m'n zin heb. Ontroerend gewoon."

„Is hij hier al geweest?"

Niki bloosde. „Dat wou hij meteen de eerste avond al. Hij wou samen met me in bad."

„Lekker!" gilden de meiden.

„Ja, leek mij ook wel, maar ik kende hem amper. Nee, dat ging me te snel. Bovendien..."

„Ja?"

„... zat ik met Dennis. Dus hij is hier nog niet geweest. Dat kan altijd nog, toch?"

„Dus jullie zijn nog niet..."

„Nee, dat wil ik niet." Nu keek Niki toch serieus. „Twee vriendjes is leuk, maar niet met allebei naar bed..."

Celina voelde dat ze knalrood werd. Snel keek ze een andere kant op. Ze wilde niet dat iemand haar gezicht kon zien. Niki was dus met Dennis naar bed geweest. Met Dennis! Ze gunde hem haar, had ze besloten, maar het deed toch pijn! Helemaal omdat Niki Jasper er ook nog bij had.

Sommige vrouwen kregen ook alles wat ze wilden. Waarom was ze zelf toch zo bleu en verlegen?

„Weet je," ging Niki verder, die niet doorhad hoe ze Celina bezeerde. „Ik droom al zo lang van Dennis, hij is het gewoon helemaal, maar hij is altijd zo druk en Jasper heeft blijkbaar tijd genoeg. Hij vindt het leuk met me uit eten te gaan en hij wil volgende week met me naar de film. Oké, hij wil dolgraag meer dan alleen maar zoenen, dus ik moet hem nog een poosje aan het lijntje houden op dat gebied, maar waarom zou ik niét met hem uit eten gaan als Dennis daar nooit tijd voor heeft?"

„Vind je niet dat dat op vreemdgaan lijkt?" vroeg Femke.

Niki haalde haar schouders op. „Waarom? Ik doe er niemand kwaad mee. Zolang Dennis niets over Jasper weet en Jasper niets over Dennis, is er toch niets aan de hand?"

„Maar als een van tweeën erachter komt, zullen ze je niet meer vertrouwen," vond Maaike.

„Tja, dat zien we dan wel weer. Ik ben gewoon anders dan jij. Zes jaar verkering zou ik dus nooit slikken."

„Slikken?" Maaike keek haar verbaasd aan.

„Precies."

„Tja, dat is iets tussen Luc en mij, dacht ik zo. Als wij het daarover eens zijn, is het toch goed?"

„Natuurlijk," haastte Niki zich te zeggen, die wel begreep dat ze niet vriendelijk was overgekomen, „maar als jij zes jaar verkering wilt, moet je van mij maar accepteren dat ik twee vriendjes wil."

„Meid, je zoekt het maar uit," zei Maaike. „Ik waarschuw je alleen maar. Je komt niet betrouwbaar over en daarmee doe je jezelf tekort."

„Als ik aan die prachtige kop van Dennis denk, met die mooie, korte stekels op zijn hoofd, dan lopen de rillingen me over de rug, maar als ik denk aan de manier waarop Jasper zoent, dan word ik helemaal week in m'n lijf. Ik kan niet kiezen. Punt uit. Ik heb trouwens drie topjes gekocht. Die kostten maar 5 euro. Misschien wat voor jullie?"

De anderen begrepen dat er verder niet over te praten viel en eigenlijk waren ze ook een beetje van slag. Ze konden gieren en giechelen als iemand van hen vertelde over een zoen, maar vanbinnen waren ze het eigenlijk allemaal met Maaike eens. Zoiets deed je niet. Je verloor je gezicht en je goede naam. Hoe lekker Jasper ook zoende.

„Ik heb ook een fles Passoã in huis en een fles Malibu," probeerde Niki de stemming weer wat op te krikken. Ze begreep dat ze te veel gezegd had, te veel van het verkeerde en ze zuchtte onhoorbaar. Ze wist zelf ook wel dat ze verkeerd bezig was, heel verkeerd, maar ze wist op dit moment niet wat ze er anders aan doen moest.

„Heb je ook jus?" vroeg Celina.

„Ja, in de koelkast."

Celina liep de kamer uit naar de keuken. Ze trok de koelkast open en stak haar hoofd erin. De koelte deed haar goed. Ze ademde diep in en uit en knipperde verwoed met haar ogen. Ze had het nu al zo lang voor iedereen verborgen gehouden dat ze verliefd was op Dennis, ze mocht nu niet meer door de mand vallen. Dat ze hem niet kreeg, was allang duidelijk. Helemaal nu bleek dat Niki met hem naar bed ging. Ze had het geaccepteerd en ze zou ook dit accepteren. Maar leuk was anders!

Ze hoorde iemand de keuken in komen en trok snel haar hoofd terug.

„Kun je het vinden?" vroeg Niki. Ze lachte opgewekt.

„Ja, hoor," zei Celina, zonder haar aan te kijken.

„Heb je mijn verhaal van die agent nog gehoord?"

„Agent?"

„Ja, toen we naar Maaike moesten, omdat ze ons groot

nieuws te vertellen had. Toen was ik toch op tijd, omdat ik veel te hard reed?"

„O ja." Celina herinnerde zich het weer. „Geen lekke band en je werd niet aangehouden."

„Precies." Niki schoot vrolijk in de lach. Ze wist best dat ze vreemd overgekomen was op haar vriendinnen en ze wilde per se de stemming er bij iedereen weer in krijgen. „Ik zei toch dat hij me niet gezien had?"

Celina knikte.

„Nou, dat had hij wel! Gisteren lag er een dikke bekeuring in de brievenbus. Haha!"

„Die kant op!" riep Niki, toen ze buiten waren gekomen. Ze keek tevreden om zich heen. Het was haar gelukt. De stemming zat er weer in. Misschien hadden de drankjes ook wel hun werk gedaan, hoe dan ook, iedereen was vrolijk.

Ze hadden zich gedoucht, omgekleed en gegeten. Femke had iedereen schitterend opgemaakt en Celina had ieders haren gekamd of opgestoken. Zelf had Celina zich ook op haar mooist aangekleed. Ze had zich verheugd op de stad en dat wilde ze dus niet laten vergallen. Daarom had ze haar uiterste best gedaan op haar outfit. Ze had nieuwe, lange laarzen aan die als gegoten om haar benen zaten. Het hoge hakje maakte haar iets langer dan ze was en ze wist dat dat haar een betere houding gaf, waardoor ze er zelfbewuster uitzag. Haar korte haren had ze vol gel gesmeerd en ze daarna zo gekneed dat het haar kapsel een verwaaide indruk gaf. Haar rokje, tot boven de knie, gaf haar een sexy gevoel. Heel tevreden had ze in de spiegel gekeken.

Femke had een nieuwe kleur lippenstift op en dezelfde kleur had ze op haar nagels. Ook zij had een rokje aan. Ze kwam naast Celina lopen en stak haar hand door haar arm. „Hoi," zei ze en kneep even in haar arm. „Ik zou hier niet willen wonen, maar af en toe stappen, dat bevalt me wel. Het is hier altijd zo gezellig druk. Moet je zien hoeveel mensen er nog op straat lopen."

Celina glimlachte. „Ja, dat is bij ons heel anders."

„Is alles wel goed met je?" vroeg Femke.

„Best wel."

„Ik vond je zo stil vanavond."

Celina haalde haar schouders op.

„Ziek?"

„Nee, ongesteld geworden. Is morgen weer over."

„Oké, maar als je buikpijn hebt, moet je het zeggen, dan gaan we terug."

„Tuurlijk niet, doe niet zo raar. Ik heb me er zo op verheugd." Dat was waar. Vooral omdat ze wist dat ze Dennis niet tegen kon komen. Aan de ene kant gaf haar dat altijd een ongelooflijke spanning, de verwachting en opwinding dat ze hem heel misschien zou zien, aan de andere kant merkte ze dat het nu als een welkome rust over haar heen hing, dat ze hem niet zou zien.

„Niki doet wel een beetje vreemd," onderbrak Femke haar gedachten. „Twee vriendjes. Dat kan niet goed gaan."

„Tja..." Celina wist niet wat ze erop zeggen moest.

„Dat ze ervan houdt mannen te versieren, wisten we, maar zo..." ging Femke onverstoorbaar door. „Ik weet het niet, hoor. Maaike heeft wel gelijk. Als ze erachter komen, zullen ze haar niet meer vertrouwen, dus het is eigenlijk heel dom."

„Hoi, stoor ik?" Sonja kwam bij hen lopen.

„Jij nooit," zei Femke lachend.

„Als jullie iets horen over Niki en Jasper, moeten jullie het me meteen laten weten," zei Sonja. „Ik vond dat echt wel een toffe gozer. Als zij hem niet meer hoeft, wil ik hem wel."

„Eentje die Niki eerst heeft zitten zoenen?" vroeg Femke met een vies gezicht.

„Waarom niet? Elke man heeft wel een of meer exen. Jij toch ook? Of ie nou door Niki is gezoend of door Saskia of Magriet, wat maakt dat uit?”

„Tja, daar zit ook weer wat in,” lachte Femke, „maar het is toch een raar idee.”

„Kan me niks schelen, zo lang ie leuk is en dat is ie. Ha! O, we zijn er al.”

Niki wenkte hen en loodste hen een kroeg binnen. Het was er redelijk donker en behoorlijk druk, maar de sfeer leek gezellig. Ze draaiden goede muziek. Van tevoren hadden ze afgesproken dat ze alleen maar bier zouden drinken. Dat bestelde gemakkelijker. Dus Niki baande zich een weg naar de bar en bestelde acht biertjes. Met een dienblad kwam ze bij haar vriendinnen aan. „Er staat een leuke man achter de bar,” riep ze in Sonja's oor. „Jij moet het volgende rondje maar halen, kun je hem zien.”

Sonja grinnikte. „Ik heb al sjans. Daar in die hoek.”

Niki draaide haar hoofd om en schoot in de lach. „Het kon je opa zijn.”

Sonja lachte en pakte een glas bier. „Proost, meiden!”

Ze hieven hun glas. „Proost!”

Celina keek eens om zich heen. Het zag er beslist gezellig uit, maar er kwam hier heel ander publiek dan in 'Crosspoint', waar ze normaal heen gingen. Er waren meer oudere mensen. Een van hen kwam nu op hen af. Hij had twee glazen bier in zijn handen en Celina keek nieuwsgierig naar wat zijn bedoeling was. Hij stootte Sonja aan en hield haar het glas voor.

„O, bedankt!” riep ze enthousiast.

Hij sloeg spontaan een arm om haar heen en riep wat in haar oor. Celina kon het niet verstaan vanwege de muziek, maar Sonja was er blijkbaar niet happy mee. Ze schudde hard met haar hoofd. Haar blonde paardenstaart zwaaide alle kanten op. De man keek kwaad. Celina stootte Femke aan, maar die had het ook al gezien. Samen liepen ze op de man af. Niki was hen echter voor. „Moevuh!" riep ze. „Wegwezen, we zitten hier niet op jou te wachten."

De man keek hen kwaad aan. „Dit is míjn kroeg," riep hij.

„Oké, dan gaan wij wel. Er is hier toch geen barst aan." Niki dronk haar glas leeg en de anderen volgden haar voorbeeld. Even later stonden ze weer buiten.

„Mijn betovergrootvader," riep Sonja lachend uit. „Hoe haalt ie het in zijn hoofd?"

„Volgende kroeg," zei Niki. „Ik heb ze zorgvuldig uitgekozen. Ze worden steeds beter!"

„Of wij zijn straks zo dronken dat we het verschil niet meer zien," zei Maaike.

„Kan ook." Niki knipoogde naar haar. „Kom."

„Waar is Maud?" riep Inge verschrikt.

Niki keek van de een naar de ander. „Een, twee, drie, vier, vijf... Inderdaad, we zijn er een kwijt." Schaterend liep ze terug naar de kroeg, maar bij de ingang werd ze tegengehouden.

„Je moet wel weten wat je wilt, ja. We houden niet van mensen die steeds in- en uitlopen."

„We zijn een vriendin kwijt."

„Met lange, bruine krullen?"

„Yes."

„Die hebben we gevonden, ja." Hij beende naar binnen en kwam al snel met Maud weer naar buiten.

„Waar was je, Maud?"

„Even naar de wc. Ik ben me rot geschrokken toen ik jullie niet meer zag, begreep er niets van."

„Zeg dan ook dat je even weg bent, dan hadden we natuurlijk gewacht. Nou ja, de volgende kroeg is hier om de hoek."

Ook daar was het behoorlijk druk en voor acht vrouwen

tegelijk was er nauwelijks plaats. Achterin een hoekje bleven ze staan. Sonja liep inderdaad naar de bar voor een rondje, maar de man achter deze bar was niet haar smaak. Het bier daarentegen smaakte prima.

Celina zag Femke op haar horloge kijken en haar telefoon pakken. Met haar duim ritste ze vliegensvlug over de toetsjes. Ze begreep dat ze Benny een sms'je stuurde. „Heb je hem succes gewenst bij zijn optreden?" vroeg ze toen Femke klaar was.

Deze knikte. De muziek was te hard voor een echt gesprek. Dat waren ze wel gewend, maar hier was ook nauwelijks bewegingsruimte. Celina kreeg het er benauwd van. „Wc," gebaarde ze naar Niki en Maaike. Femke en Maaike liepen haar achterna.

„Gaat het niet goed?" vroeg Femke aan Celina.

„Maak je toch niet zo veel zorgen."

„Maar je bent zo stil."

„Ik vind het hier te benauwd. Het is te klein en te vol."

„Je moet het nog even volhouden," zei Maaike lachend. „Hierna nog twee kroegen en dan komen we in de kroeg waar Niki op doelde."

„Waar het cool en hot tegelijk is?" lachte Femke.

„Precies."

Celina ging op een wc zitten. Ze liet haar hoofd in haar handen rusten. Het liefst van alles wilde ze naar huis. Het ging gewoon helemaal verkeerd sinds Niki had laten doorschemeren dat ze met Dennis... En Femke was ook niet op haar best, omdat ze eigenlijk aan Benny dacht, die op een andere plek in deze stad moest optreden. Waarom gingen ze niet meteen naar die leuke tent van Niki? Waarom moesten ze per se eerst naar deze kroegen? Maar ja, het was Niki's idee geweest en ze hadden ja gezegd en als Femke vrolijker was geweest en als Niki niet over

Dennis... dan was alles vast veel leuker geweest.

Opeens kreeg ze een idee. Spontaan trok ze door en liep naar de kleine ruimte waar Femke en Maaike nog stonden te wachten. „Femke," zei ze met een opgetogen gezicht, „we pakken een taxi en gaan naar dj Benny luisteren."

„Wat?" gilde Femke.

„Ik ga mee," zei Maaike spontaan.

„Maar dat kunnen we niet maken. Niki vermoordt ons."

„Ze mist ons niet eens. Ze heeft te veel aan haar hoofd," zei Maaike, „en bovendien zijn deze kroegen te klein voor ons. Wij hebben iets groters nodig, met meer bewegingsvrijheid."

„Juist," zei Celina opgelucht. „Dat bedoel ik dus. Als we nou een tijd afspreken en het adres van haar coole tent of de naam ervan krijgen, dan zullen we zorgen dat we daar precies op tijd zijn. Bovendien zijn zij dan met z'n vijven en dat is ook gemakkelijker in de gaten te houden dan acht. Spreek jij een tijd af met Niki, Maaike, en vraag de naam van die tent, dan regel ik een taxi."

Femke keek Celina verrast aan. Zo doortastend kende ze haar niet, maar ze protesteerde niet. Haar hart maakte kleine sprongetjes van vreugde. Dat zou een geweldige verrassing zijn!

Ze liep achter haar vriendinnen aan en toen ze niet veel later op de stoep op de taxi stonden te wachten die de barkeeper voor hen besteld had, greep ze Celina voor de tweede keer die avond bij de arm. „Jij bent echt mijn beste vriendin," fluisterde ze in haar oor. „Je bent een schat!"

„Het is ook eigenbelang, hoor. Maar we houden ons wel aan de tijd die we met Niki hebben afgesproken. Hoe heet die tent van Benny?"

„Hottop."

„Daar is de taxi al."

„Ga jij maar voorin," zei Maaike tegen Celina. „Jij hebt hem tenslotte besteld."

Celina knikte en trok het portier open. Ze ging zitten. „Naar 'Hottop' graag en over precies een uur willen we daar ook weer opgehaald worden. Kan dat?" Nietsvermoedend keek ze de taxichauffeur aan. Toen stond haar hart stil. Ze voelde het in elk geval absoluut niet meer kloppen. Alle kleur trok uit haar gezicht.

„Dag Celina," zei hij zacht. „Wat een verrassing."

„Dennis..." Meer kon ze er niet uit krijgen.

„Is het Dennis?" gilde Femke vanaf de achterbank.

Hij draaide zich lachend om. „Ja, wat doen jullie hier nou?"

„Wat doe jíj hier?" wierp ze tegen.

„Ik moet dit weekend in de stad rijden. Dat komt wel vaker voor. En jullie?"

„Wij slapen bij Niki. Wist je dat niet? Ik dacht dat jullie dagelijks contact hadden."

„Wie?"

„Niki en jij!"

„Welnee," zei hij, maar verder deed hij er het zwijgen toe. Hij schakelde en reed weg. Af en toe keek hij opzij, maar Celina keek strak voor zich uit. „Wat zie je er super uit vanavond, mooie laarzen," zei hij zacht, zodat de anderen het niet konden horen. Ze kleurde zo rood, dat ze wel op een stoplicht leek. Ze was blij dat het donker was in de auto.

Haar hart ging nu wild tekeer en ze had zin om te huilen. Verman je, zei ze tegen zichzelf. Je bent niét verliefd op hem! Hij is van Niki. Ze klemde haar tanden en kiezen op elkaar, maar toen ze toch eventjes opzij keek, werd haar blik gevangen door zijn hand die op de versnellingspook vlak naast haar lag en geen duizend Niki's konden voorkomen dat haar fantasie met haar op de loop ging...

Ze keek naar zijn hand, de lange, slanke vingers. Ze zag de spieren boven op zijn hand bewegen als hij de pook heen en weer bewoog. Ze zag de haartjes die net onder de mouw van zijn helderwitte overhemd uit kwamen. Hij droeg geen ring, geen armband, alleen zijn lange, slanke, vingers die er mannelijk en sterk uitzagen. Hij liet de pook los en legde zijn hand op zijn knie, de vingers gespreid. Ze zag de kortgeknipte, schone nagels. Zijn vingers leken zo koel, zo sterk, zo heerlijk. Ze volgde de bewegingen die zijn hand maakten, van knie naar pook, van pook naar knie. Ze hield haar adem in en droomde hoe zijn hand van de pook op haar knie terecht kwam, hoe hij met zijn koele vingers haar hete knie streelde, zachtjes langs de binnenkant van haar dijbeen ging. Maar zo koel als zijn vingers waren, zo heet als zij het kreeg. Voorzichtig kroop zijn hand onder haar rokje en gleed toen plagerig weer omlaag, over haar knie en weer naar boven.

O, raak mijn borsten aan, smeekte ze in stilte, mijn borsten verlangen naar jouw hand. Maar de hand gleed verder naar beneden, een vinger ging bij haar laars naar binnen, vond het begin van de rits en trok tergend langzaam de rits naar beneden van haar mooie, nieuwe, lange, zwarte laars. Zijn hand gleed over haar kuit, weer naar boven naar haar knie, via haar rokje naar haar andere knie, haar ander laars, andere rits.

Een zucht ontsnapte haar, ze was gespannen als een veer, de opwinding van de vederlichte aanraking deed haar lichaam trillen, haar tenen, haar vingers, haar korte haren op haar hoofd, haar borsten spanden zich, haar knieën werden slap. Ze keek naar zijn hand die op de versnellingspook lag en had maar één wens: Laat mij die versnellingspook zijn.

„Jullie zijn er." Dennis sprong uit de auto, haalde zijn colbertje uit de kofferbak, trok het aan en liep om de auto heen. Hij opende haar portier met de bedoeling haar galant te helpen bij het uitstappen, maar Celina wist niet meer hóe ze uit een auto moest stappen. Hoe had ze dat vroeger gedaan? Voordat ze naast Dennis had gezeten? Welk been zette je eerst buiten de auto? Het linker of het rechter?

„Celina," zei Dennis vlak bij haar gezicht. „Is er wat?" Hij stak zijn hand naar haar uit. „Je wou naar 'Hottop', dat is hier." Hij trok haar naar zich toe. Even voelde ze hem heel dichtbij, toen was hij weer verdwenen. „Veel plezier en ik zorg dat jullie over precies een uur worden opgehaald," riep hij vrolijk, stak zijn hand op naar de drie vrouwen en ging weer achter het stuur zitten.

„Ben je erg ongesteld?" vroeg Femke bezorgd.

Ik ben helemáál niet ongesteld, wilde ze gillen, maar ze hield haar mond, greep Femke en Maaike beet en met zijn drieën liepen ze naar de deur van 'Hottop'.

„Het kost € 7,50," zei Femke. „Vind je dat niet erg?"

„Heb ik wel," zei Celina, „geeft niets." Ze pakte met trillende vingers geld uit het kleine zakje in haar jasje. Binnen was het warm, maar ook ruim. Er waren zeker een paar honderd mensen, maar ze liepen elkaar niet omver zoals in de twee kroegen waar ze eerder die avond geweest waren.

„Hij moest van kwart over twaalf tot half twee draaien," zei Femke. „Ik zie hem nog nergens." Ook zij trilde van opwinding en Celina was daar blij om. Femke zou nu alleen nog maar naar Benny kijken en niet meer op haar letten.

„Zal ik iets te drinken halen?" stelde Maaike voor.

Celina schudde haar hoofd. „Ik heb geen dorst," zei ze bijna onverstaanbaar.

„Oké, gaan we Benny zoeken," zei Femke die op haar tenen stond in een poging om over de mensen heen te kijken.

Celina stond nog te trillen. Verwoed knipperde ze met haar ogen om wakker te worden uit de droom die ze in de taxi had en die ze maar niet uit haar gedachten kon krijgen. Hij vond dat ze er super uitzag. Hij vond haar laarzen mooi. En wat had hij heerlijk geroken, toen hij eventjes heel dicht bij haar stond!

„Wakker worden!" gilde Femke. „We gaan daarheen. Daar zie ik de draaitafel."

Celina knikte, voelde in haar zak naar een zakdoekje. Femke en Maaike mochten niet zien dat ze vochtige ogen had. Ze wreef voorzichtig onder haar ogen langs om haar make-up niet uit te smeren. Ze wilde doorlopen, maar botste tegen een man aan. „Hé, alsjeblieft. Dat viel uit je zak." Hij stak haar een papiertje toe. Ze wierp er een blik op en zag dat er een telefoonnummer op stond. Ze schudde haar hoofd. „Dat is niet van mij."

„Wel, hoor, ik zag het zelf uit je zak vallen."

Ze pakte het aan. 'Bel me' stond erop met een nummer. „Echt niet." Ze glimlachte voorzichtig.

„Oké, dan niet, als je mij er de schuld maar niet van geeft dat hij wekenlang naar een telefoontje van jou zit te smachten." Hij lachte. „Biertje hebben?"

„Nee, nee."

„Wat is er nou?" Maaike en Femke waren weer teruggekomen.

„Ik wou haar wat te drinken aanbieden," zei de man. „Jullie ook?"

„Nee, nee!" riep Celina weer uit.

„Je hoort het," zei Femke. Ze sloeg een arm om haar heen en leidde haar weg van de man. „Celina, wat is er?"

„Ik moet naar het toilet."

„Oké." Femke draaide zich om en wilde met haar meelopen.

„Nee, ik ga alleen. Laat me maar. Gaan jullie Benny nou maar zoeken."

„Vond je hem niet leuk?" vroeg Maaike verbaasd.
„Wie?"
„De man die je wat aanbood."
„Weet ik niet," zei Celina.
„Weet je niet?" riep Maaike uit. „Hij was gewoon geweldig knap! En wat kreeg je van hem?" Ze keek onderzoekend naar Celina's hand. „Een papiertje?"
„Met een telefoonnummer. Hij zei dat het uit mijn zak gevallen was. Nou, mooi niet."
„Slimme truc," lachte Maaike. „Kom, we gaan even met je mee."
„Nee, laat me maar alleen gaan. Ik kom zo bij jullie. Even naar de wc."
„Als je steeds zo'n last hebt van je menstruatie, moet je er toch eens mee naar de dokter gaan," zei Femke, maar Celina reageerde niet meer. Ze liep in de richting waar ze vandaan gekomen waren. De toiletten zouden wel bij de ingang zijn.

Dat was ook zo en opgelucht liet ze zich even later op een wc-pot zakken. Wat was er toch allemaal aan de hand? Niki die vertelde dat ze met Dennis naar bed was geweest en even later zat hij zomaar in de taxi en zei dat ze er super uitzag. Hij was ook zo lief toen ze problemen had met uitstappen. Help! Waarom moest ze hem nou net vanavond weer tegenkomen? Net nu ze zo haar best deed hem te vergeten. En waarom moest hij zo lief en aardig doen? Ze glimlachte. Hij kon niet anders natuurlijk. Hij was gewoon zo! Dat was zijn aard. In elk geval tegen zijn klanten. Want dat was ze. Gewoon een van zijn vele klanten.

Ze zuchtte en ontspande zich een beetje. Stom, dat ze gezegd had dat ze ongesteld was. Nu maakte Femke zich nog zorgen ook. Maar ze durfde niet over haar verliefdheid te praten. Ze kón het niet.

In haar hand voelde ze opeens het papiertje weer. Ze keek

er nog eens naar. Ze kende het handschrift niet en ze was ook niemand tegengekomen die contact met haar zocht. Ze begreep niet dat het uit haar zak gevallen was. Het was vast een smoes van die man om met haar in contact te komen. Zonder na te denken stopte ze het in haar zak, stond op en liep naar de ruimte met wastafels. Daar hield ze haar handen en polsen onder koud water en bekeek ze zichzelf. De mascara zat nog goed. Ze knikte en glimlachte naar haar spiegelbeeld. En nu alles vergeten. Alleen maar aan Femke en Benny denken.

Zo opgewekt mogelijk liep ze weer naar de zaal en wurmde zich door de mensen om bij de draaitafel te komen. Ze vond Maaike en Femke al gauw. Ze keken haar opgelucht aan. Celina glimlachte. „Heb je hem al gezien?”

„Nee, maar hij kan elk moment komen,” riep Femke in haar oor. „Ik heb naar hem gevraagd. Goeie muziek, hè?” Ze bewoog op het ritme en genoot er duidelijk van. „Daar is hij!” gilde ze en kneep Celina in haar arm.

Deze onderdrukte een kreet van pijn en schoot in de lach om het opgewonden gezicht van Femke. Ze was dolgelukkig dat ze dit voorstel gedaan had. Heerlijk was het om je vriendin zo blij te zien.

„Benny!” riep Femke. Haar handen stak ze hoog in de lucht.

Maar Benny was nog druk in gesprek met de man die hij Peet genoemd had. Samen droegen ze grote koffers naar binnen, het podium op. Benny had voor niets of niemand oog.

Femke genoot ervan hem bezig te zien. Dat stond duidelijk op haar gezicht geschreven. Het kon haar niets schelen dat hij haar nog niet ontdekt had. Ze was al in de wolken door hem alleen maar te zien. Maaike gaf Celina een knipoog en stak haar duim omhoog. Celina knikte lachend van ja!

Toch kwam Femke steeds dichter bij de draaitafel en plotseling zag hij haar. „Babe!" riep hij blij uit. Hij sprong van het podium af en nam haar in zijn armen. „Wat een verrassing! Dat je toch gekomen bent!" Hij kuste haar op haar wangen, haar neus en ten slotte ook op haar mond. „Zijn al je vriendinnen er ook?"

„Nee, twee maar, en we kunnen niet lang blijven. Over een halfuurtje gaan we weer."

„Jammer, maar super dat je even kwam. Sorry, ik moet!" Hij gaf haar nog snel een kus op haar lippen en sprong toen het podium weer op. „This is dj Benny en the first song is for a very dear friend." Hij knipoogde naar Femke met zijn mooie, donkere ogen en liet de muziek de zaal in stromen.

Femke dacht dat ze flauwviel. Ze greep Maaike en Celina vast. „Is ie niet geweldig?" vroeg ze. „Dit wordt ons liedje!" Ze keek Benny stralend aan. Haar wangen waren rood, haar ogen glansden en haar stem was schor, toen ze 'bedankt' probeerde te roepen.

Na een halfuur pakte Maaike haar bij de arm. „Kom, de taxi wacht."

„Nu al?" sputterde Femke tegen.

„Ja, nu al," zei Maaike grinnikend. „Kom."

„Dag, Benny, dag! Kussss!" riep ze. Ze zwaaide wild, maar hij was te druk bezig en hoorde of zag haar niet. Ze haalde haar schouders op. „Geeft niks. Ik heb hem gezien. Jullie zijn schatten." Ze liep met Celina en Maaike mee naar de uitgang. Daar stond de man van het papiertje weer.

„Niet vergeten te bellen, hoor," zei hij lachend tegen Celina.

Maaike kneep haar in haar arm. „Zie je wel. Het was van hem!"

Buiten was het koel, maar daar voelden ze niet veel van. Vooral Femke had het gloeiend heet. Aan de overkant van de straat stond een taxi. „Kom op, die is voor ons," zei Maaike. Ze liepen erop af.

„Sta je op ons te wachten?" vroeg Maaike aan de chauffeur.

„Als jullie Femke, Maaike en Celina heten, dan wel."

„Dat doen we." Ze stapten in. Celina kroop op de achterbank en liet Femke naast de chauffeur plaats nemen.

„En waarheen gaat de rit?" vroeg de chauffeur.

„Naar de coolest bar in town," juichte Femke, die niet meer te houden was.

„Dat was dus een domme vraag," lachte de man. „Ik kan zo wel zien dat jij nodig afgekoeld moet worden."

„Kun je ook nog over iets anders praten dan over Benny?" vroeg Niki geërgerd.

„Hoezo?" vroeg Femke verbaasd. „Ik ben verliefd."

„O, en dan mag je een ander de oren van het hoofd kletsen over die gozer?"

„Nou ja, zeg, wat is er met jóu aan de hand? Alsof jij dat niet doet als je verliefd bent," riep Femke uit, maar toen keek ze Niki geschrokken aan. „Is het uit?"

„Uit? Met wie?" riep ze fel.

„Niki, kun je nou niet eens één seconde stil blijven zitten," viel Celina vertwijfeld uit. „Zo kan ik toch nooit je haren bijpunten!"

Ze waren met zijn drieën in de badkamer van Femke en Celina. Niki zat op een kruk, Celina stond achter haar om haar haren bij te werken en Femke zat op het randje van de badkuip te kletsen, maar nu was ze stil. „Met wie?" Ze haalde haar schouders op. „Met Jasper, met Dennis."

„Poeh!" siste Niki. „Jasper! Dennis!" Ze keek Femke kwaad aan.

„Weet ik het. Anton dan of Mark of Peter."

„Gatsie, wat denk je wel niet van mij?"

„Niks meer," zei Femke naar waarheid. „Ik denk niks meer van jou, want ik snap jou niet meer."

Niki zei ook niets meer. Ze keek strak naar een bepaald punt en rilde. Voorzichtig trok ze haar benen op en sloeg haar armen om haar knieën. Femke volgde haar blik en zag een dikke spin vanachter de wasmand tevoorschijn komen. Ze schoot in een schaterende lach.

„Hou op!" gilde Niki.

„Wat is er nóu weer?" riep Celina, die de spin nog niet gezien had.

„Een zwarte weduwe!" riep Femke lachend.

„Ja, lach jij maar, maar zo leuk is het niet om alleen te zijn," zei Niki met een kwaad gezicht.

„Hè? Wat bedoel je?" Femke keek haar verward aan.

Celina liet haar handen zakken, legde de schaar en de kam in de wastafel en ging naast Femke op de rand van het bad zitten. „Wat ís er nou?" Toen zag ze de spin. „Ach, die?" Ze lachte en kwam weer overeind, bukte zich en greep de spin van de vloer. „Waar zal ik hem laten?"

„Niet doorspoelen!" gilde Niki.

„Niet?"

„Nee, stel dat hij er weer uit kruipt terwijl ik erop zit."

„Dan zet ik hem wel buiten in de tuin." Celina rende de trap af, de keuken en de bijkeuken door en zette het beestje op een blaadje van een struik. Daarna ging ze weer naar boven. „Daar hebben we voorlopig geen last meer van," zei ze opgewekt.

„Voorlopig?" zei Niki met een sip gezicht. „Wat bedoel je?"

„Hij heeft uren nodig om weer boven te komen, wees maar gerust."

„Heb je hem niet dood gemaakt dan?"

„Zeg! Ben je mal. Het is een dier, hoor."

„Een spin, zul je bedoelen."
„Precies en die zijn heel nuttig voor de samenleving."
„Dat zal wel," verzuchtte Niki. „Nou, ben je al klaar met mijn haren?" Ze keek in de spiegel en schudde met haar hoofd.
„Nee, nog lang niet, maar jij zit nooit eens even stil."
„Dat is Femkes schuld. Die kletst maar raak, ik word er gek van."
„Oké, dan ga ik wel koffiezetten." Femke stond lachend op en liep naar beneden.
Celina pakte de kam en de schaar en ging weer aan het werk.
„Word jij niet knettergek van haar gezwets over Benny?"
„Net zo gek als ik van jou word als jij het over je vriendjes hebt. Ik kan me je ellenlange verhalen over Alessandro nog goed voor de geest halen."
„Alessandro! Dat is jaren geleden. Toen was ik nog een puber. Femke is volwassen!"
„Jij was drie jaar geleden ook al volwassen en volgens mij gedraagt iemand die echt verliefd is zich altijd als een puber. Zelfs als ie tachtig is."
„Jij bent gek."
„Oké, Femke en ik zijn gek, en jij?" Celina voelde haar hart in haar keel kloppen. Dat had ze dus niet willen vragen, want ze wilde niets horen over Jasper of Dennis. Ze wilde helemaal niet weten hoe het met Niki ging en of ze het leuk had met haar twee vriendjes. Tot haar verrassing kwam er echter geen antwoord. Niki zat doodstil op de kruk. Ze bewoog niet en ze sprak niet. Celina werkte zwijgend door en de minuten tikten geruisloos verder.
Van beneden hoorden ze gestommel. Femke kwam boven met een dienblad met koffie en koekjes. „Kijk eens hoe goed ik voor jullie zorg. Is allemaal bij de prijs inbegrepen." Ze

zette het dienblad op de wasmand en ging weer op de rand van het bad zitten. „Benny sms'te net," zei ze glunderend. „Hij wou even zeggen dat hij zich verheugt op zaterdagavond."

„Aardig," zei Celina enthousiast. „Weet je al waar jullie heen gaan?"

„Nog niet, maar dat komt wel." Ze glimlachte verliefd.

„Benny, Benny. Zie je wel, je weet niets anders om over te praten," mokte Niki.

„Vertel jij dan eens wat," stelde Femke voor. „Waarom ben je bijvoorbeeld zo sikkeneurig?"

„Omdat Dennis al drie dagen niet gebeld of ge-sms't heeft," zei ze kattig.

„O?"

„Ja, o?"

„Deed ie dat anders wel dan?"

Niki haalde haar schouders op. Celina wachtte even met knippen, want haar vingers trilden te hard.

„Niet echt, nee," gaf Niki schoorvoetend toe. „Hij houdt er niet van om elke dag contact te hebben."

„So what? Dat houdt het spannend," vond Femke.

„Jij sms't wel elke dag met Benny."

„Luister, meid, jij vond Benny niet eens interessant genoeg. Smaken verschillen en mannen verschillen. Je wou Benny echt niet hebben, je hebt ons wekenlang aan de kop gezeurd over Dennis. Dat hij nu niet zo'n wilde sms'er blijkt te zijn, kun je mij niet kwalijk nemen."

Niki zuchtte. „Je hebt gelijk. Sorry."

„En Jasper?"

„Die is juist heel wild." Niki grijnsde wat.

„Té?"

„Een beetje wel. Hij wil me elke dag wel zien."

„En dat is je te veel?"

„Eigenlijk wel, ja."

„Omdat je anders geen tijd meer over houdt voor Dennis," stelde Femke vast. „Ik snap 'm."

Niki opende haar mond, maar sloot hem weer. Ze had zichzelf flink in de nesten gewerkt, maar hoe kreeg ze dat nu weer goed? Ze wilde het maar wat graag uitleggen, maar ze wist niet hoe ze dat moest doen. Ze herkende zichzelf ook niet en dat maakte het nog lastiger. Ze keek naar Femke die een mok koffie van het dienblad haalde en hem haar aanreikte. Dankbaar pakte ze hem aan. „Mag ik een slok nemen, Celina?"

„Is goed. Ik wacht even."

Ze genoot van de hete drank die door haar slokdarm gleed. „Lekker!" Ze haalde eens diep adem. Het werd hoog tijd om alles op te biechten, maar ze wist dat ze af zou gaan en daar zag ze tegen op.

„Wist je dat Femke tegenwoordig ook mannen in de salon heeft?" vroeg Celina lachend. Ook zij nam een slok koffie. Ze wist niet wat ze met Niki aan moest, maar doorvragen wilde ze niet. Ze wilde immers geen details horen. Ze was blij dat dit haar te binnen schoot en ze op een ander onderwerp over konden stappen.

„Ja, hij was er nu al voor de tweede keer," zei Femke lachend. „Wenkbrauwen epileren."

„Dat meen je niet?" Ook Niki was zichtbaar blij dat er een ander onderwerp aangesneden werd.

„Ja en hij heeft groot gelijk, hoor," zei Femke. „Het maakt hem veel leuker. Hij had eerst van die ontzettende borstels, daar had je schoenen mee kunnen poetsen."

„En nu zit hij dus voor de rest van zijn leven aan jou vast," bedacht Niki.

„Zo ongeveer wel, ja. Leuk toch! Mijn eerste eigen vaste klant."

„Wat vindt Benny daarvan?"

Femkes mond viel open. „Wat ís er toch met jou? Je bent zo anders dan anders."

„Sorry." Niki zuchtte. „Volgende week is het wel weer over. Celina, ben je al klaar? Ik wil eigenlijk naar huis en naar bed."

Snel knipte Celina de laatste plukjes en nog sneller verdween Niki weer. „Begrijp jij haar?" vroeg Femke verbaasd, terwijl Celina de korte haartjes van de badkamervloer opzoog met de stofzuiger. „Nou heeft ze twee vriendjes tegelijk en is ze nog niet tevreden."

9

Opgewekt parkeerde Sonja de kleine bestelauto van de pottenbakkerij voor de deur van Maaikes huis. Ze tuurde naar binnen, maar zag niets. Ze hoopte zo dat Maaike thuis zou zijn, maar dat wist je maar nooit met haar. Ze had zulke onregelmatige diensten in het ziekenhuis. Ze stapte uit en opende de achterdeuren van de auto. Voorzichtig trok ze een grote pot naar zich toe, sloeg er toen beide armen omheen en tilde de pot de auto uit.

Als Maaike thuis was, zou ze de achterdeur open hebben. Bij hen in het dorp was het normaal dat je dan zo naar binnenliep, maar Sonja wilde deze keer door de voordeur het huis in. Dat leek wat officiëler en dat paste beter bij de grote pot. Bovendien kon ze onmogelijk de deurkruk naar beneden krijgen met dat zware ding in haar armen.

Voor de voordeur bleef ze lachend staan. Het was ook onmogelijk om haar vingers te gebruiken om op de bel te drukken. Gelukkig had ze haar neus en daarmee lukte het precies. De bel klonk zachtjes door het huis en al snel zag ze beweging door het matglas in de voordeur. Ze liet een zucht van opluchting ontsnappen. Gelukkig. Ze was er.

De deur zwaaide open en Maaike keek haar verbaasd aan. „Wat kom jíj nou doen?"

„Ik ben aan het werk," zei Sonja triomfantelijk.

„Maar wat doe je hiér dan?"

„Ik moest deze pot bezorgen."

„Hier?"

„Nou nee, dat niet per se."

„Wat dan? Wil je binnenkomen?"

„Graag, want het ding is me veel te zwaar." Ze stapte, voorzichtig met haar voet voelend, over de drempel. De pot was zo groot, dat ze niet kon zien waar ze liep.

„Zet hem hier maar zo lang neer," zei Maaike, naar de vloer wijzend.
„Dat lukt me niet. Doe alsjeblieft de kamerdeur open." Sonja liep door naar de tafel en daar liet ze de pot op zakken. Ze zuchtte luid. „Pfff, die was zwaar. Zulke grote vervoer ik gelukkig maar zelden."
„Het is anders wel een erg gave pot," zei Maaike.
„Vind je echt?"
„Ja, prachtig. Zal wel onbetaalbaar zijn, of niet?"
„Zestig euro."
„Voor één pot?"
„Ja, maar hij is helemaal met de hand gemaakt en er is er maar een van. Elke pot wordt weer anders en er zit heel veel werk in."
„Dat geloof ik graag." Maaike liet haar hand over het gladde glazuur van de pot glijden. „Ik vind de kleur zo mooi. Zo warm blauw. Doet me aan Lucs ogen denken." Ze glimlachte verliefd en dat verraste Sonja.
„Dat je na zes jaar verkering nog zo kunt kijken als je aan hem denkt. Ik vind dat echt geweldig," verzuchtte ze.
„Maar Luc ís ook geweldig," zei Maaike ter verdediging.
„Dat moet wel." Sonja glimlachte. „Maar je vindt de pot dus mooi."
„Super! Als ik veel geld had... Maar wat doe je hier als je moet werken en waarom..."
„Er zit een foutje in het glazuur van de pot. Kijk." Sonja wees op een plek. „Allemaal luchtbelletjes. Dat hoort niet."
„Ach, een kniesoor..." vond Maaike.
„Die bestaan. Als ze zestig euro neerleggen, willen ze wel een pot zonder fouten."
„Misschien..."
„Dus moest ik deze weggooien."
„Weggooien?" riep Maaike uit.

„Ja. De pottenbakker wil zijn naam hoog houden. Hij beweert altijd dat hij alleen maar kwaliteitsspul maakt en dus kan hij deze pot niet verkopen."

„Maar weggooien is toch vreselijk jammer!"

„Dat vond ik ook," zei Sonja, „en daarom krijg jíj hem."

„Wat?"

„Voor jullie nieuwe huis."

„Dat meen je niet! Zo'n mooie pot?"

Sonja knikte.

„Wat zal die mooi staan op een terras!" Maaike liep om de pot heen. „Misschien met een conifeer erin? Er moet wel iets groots in. Geen miezerig klein plantje."

„Dat ben ik met je eens, maar je moet me wel beloven dat je niemand op de beschadiging wijst en als iemand het ziet, moet je zeggen dat hij eigenlijk weggegooid had moeten worden. Ik wil niet dat de pottenbakker door mij een slechte naam krijgt."

Sonja liep alweer naar de deur om te vertrekken, maar herinnerde zich iets. „Zou jij van de week niet een nachtje bij Niki slapen?"

„Ja, was gezellig. We zijn uit eten geweest bij een Mexicaan en daarna hebben we uren bij haar thuis zitten kletsen en soaps gekeken, heel laat naar bed gegaan en ik heb lang uitgeslapen, maar Niki niet. Die moest op tijd weer voor de klas staan." Ze lachte. „Ze beweerde dat het de eerste keer was dat ze te laat op school kwam."

Sonja fronste haar wenkbrauwen. „Of we dat moeten geloven… ? Maar eh, hoe zit het met Niki en Jasper? Is dat wat?"

Maaike keek haar onderzoekend aan. „Heb jij nog steeds een oogje op hem?"

„Tja, hij heeft wel indruk gemaakt, moet ik zeggen."

„Vergeet dat dan maar. Hij belde op toen ik er was en het klonk alsof het heel dik aan was."

„Nou, dan ga ik weer. Heb nog meer te doen. Hoi!"
„Ja, dag. Trouwens..." mompelde Maaike.
„Ja?" Sonja draaide zich om.
„Je weet hoe klein mijn huisje is. Ik heb geen plaats voor die pot en het kan zeker nog een jaar duren voor ik ga verhuizen."
„Suf van mij. Dat had ik zelf ook wel kunnen bedenken. Weet je trouwens al iets meer?"
„Nee en daar word ik helemaal zenuwachtig van. Elke dag bel ik Luc of hij al iets van de gemeente gehoord heeft."
„Die lui hebben nooit haast," was Sonja van mening. „Behalve als wij moeten betalen. Dan had het gisteren al gebeurd moeten zijn. Kan de pot bij Luc thuis staan?"
„Vast wel. Die hebben een grote schuur."
„Dan breng ik hem daarheen."
„Zal ik even meerijden?"
„Gezellig."
Samen droegen ze de zware pot weer naar de bestelauto, waarvan de achterdeuren nog open stonden. Sonja kroop vervolgens achter het stuur, Maaike ging naast haar zitten.
„Sleutels bij je?" vroeg Sonja.
Maaike keek haar geschrokken aan. „Nee! Hoe kón ik zo stom zijn."
„Nee?" Sonja schoot in de lach. „Dat wou ik helemaal niet zeggen. Mijn moeder vraagt het me elke dag. Ik word er gewoon strontziek van. Alsof ik nog steeds niet groot genoeg ben om zelf aan de sleutels te kunnen denken. Dus ik vond het ongelooflijk belachelijk van mezelf dat ik het jou vroeg en nou..."
„Het kwam ook zo onverwachts dat we weggingen. Ik dacht er niet bij na, heb gewoon de deur achter me in het slot gegooid! Wat nu?"
„Luc heeft toch wel een sleutel van jouw huis?"

„Ja, maar ik denk niet dat Luc al thuis is." Ze keek op haar horloge. „Nou ja, dan wacht ik wel bij zijn moeder tot hij er is. Langer dan een uur kan dat niet duren."

Dus reden ze samen naar het huis waar Luc met zijn moeder en stiefvader woonde. Tot Maaikes grote ontsteltenis was er niemand thuis. „Het is veel te koud om een uur buiten te staan wachten," mopperde ze. „In elk geval kunnen we de pot wel in de schuur zetten. Die hebben ze altijd open." Om te bewijzen dat ze gelijk had, liep ze op de schuur af en trok de deur open. Daarna droegen ze samen de zware pot van de auto naar de schuur en zetten hem voorzichtig in een hoek op de vloer. Ze liepen weer naar buiten. Sonja keek haar aan. „En nu? Ik moet nog een paar potten bezorgen. Kleinere, ze staan al achterin. Je mag ook meerijden. In de auto is het warmer dan buiten."

„Nou nee. Ik wacht hier wel. Luc zal absoluut verrast zijn als hij me hier ziet staan. Ook wel eens grappig."

„Oké dan." Sonja nam weer plaats achter het stuur, maar toen ze de motor startte, vielen er regendruppels op het raam. Ze keek naar Maaike en claxonneerde. Ze wenkte met haar hand en Maaike reageerde meteen door op haar af te rennen en in de auto te springen. „Ook dat nog," mopperde ze.

Het werd een flinke regenbui en Sonja regende drie keer nat bij het bezorgen van de potten. Het regende nóg toen ze weer voor het huis van Luc stonden, waar het binnen net zo stil en donker was als een uur daarvoor. „Met mij mee dan maar of toch hier wachten?" vroeg Sonja.

„Neem jij deze auto mee naar huis?"

„Soms wel, ja. Zoals vandaag."

„Vandaag? Wat voor dag is het ook alweer?"

„Woensdag."

„Wat stom van mij. Ook dat nog! Luc komt helemaal niet

thuis! Ze hebben het hoogste punt bereikt van het huis waar hij aan het bouwen is en ze zouden vanavond met zijn allen wat gaan drinken om dat te vieren." Haar gezicht betrok. „Dat kan wel een paar uur duren."

„Dan eet je toch met ons mee! Mijn moeder heeft daar heus geen problemen mee."

„Maar ik had me zo verheugd..."

„Waarop?" vroeg Sonja nieuwsgierig.

„Er zaten drie dikke catalogussen bij de post van postorderbedrijven. Ik had zo'n zin om die door te bladeren."

„Wat wou je kopen dan?"

„Nog niets, maar ik wou naar banken en stoelen kijken. Gewoon om te zien wat er zoal aangeboden wordt en wat op dit moment in is."

„Tja, dat kan dus niet." Sonja startte de motor weer en schakelde. „We gaan naar mijn huis."

„En Celina heeft me een boek met kapsels gebracht. Kan ik vast kijken wat er allemaal met mijn haar gedaan kan worden op mijn trouwdag. Dat wou ik ook vanavond doen."

„Jammer dan. Gelukkig hebben al die boeken geen pootjes en zijn ze er morgen nog."

Ze remde af voor haar moeders huis en op hetzelfde moment schoot haar iets te binnen. „De achterdeur. Maaike, heb je de achterdeur zo snel nog op slot gedaan toen je die pot met mij naar de auto bracht?"

„Niet te geloven, zeg!" riep Maaike met grote ogen uit. „Dat ik zo dom kon zijn! Nee, dus!"

„Dom niet, maar met je hoofd ergens anders," zei Sonja lachend. „Sinds Luc die kavel wil kopen, ben je er nooit meer voor honderd procent bij."

„Ja zeg, alsof het mijn schuld is!"

„De mijne soms?"

„Precies," riep Maaike uit. „Je had gewoon niet moeten

vragen of ik de sleutels bij me had, dan was ik vanzelf door de achterdeur naar binnen gegaan en was er helemaal niets aan de hand geweest. Breng me naar huis!"

Sonja gierde het uit en startte de motor van de auto weer. „Trouwen is leuk, maar als het zó moet! De volgende pot die weggegooid moet worden, zal ik bij jou voor de deur kapot laten vallen. Scherven brengen geluk, weet je, en misschien maak je dan niet meer van zulke domme fouten."

„Als je die pot gewoon bij de pottenbakkerij had weggegooid, was er helemaal niets mis gegaan," mopperde Maaike, maar ze schrok van haar eigen woorden en legde snel een hand op Sonja's arm. „Sorry, dat bedoelde ik echt niet. Eerlijk niet, ik vind het echt super dat je aan mij dacht en ik ben er heel blij mee."

„Oké, dan is het goed, maar ik beloof je niet dat ik de volgende ook heel bij je aflever."

Donderdag:

Zaterdagavond in dancing The Power? Negen uur? Ik wil daar eens rondkijken. Misschien interessant om te draaien. Zal ik je ergens oppikken? sms'te Benny aan Femke.

Deal, Benny, ik sta om half negen bij de carpoolplaats langs de rijksweg, Femke.

Celina, kun je zaterdagmiddag mijn haar doen? Het lijkt nergens naar, vroeg Femke in een sms'je, terwijl ze haar hand door haar korte, blonde haren haalde.

Tegelijk sms'te Maaike aan iedereen: *Maandagavond moeten alle geïnteresseerden op het gemeentehuis komen voor een voorlichtingsavond en... ze gaan dan loten. Cross your fingers voor onze kavel!*

Doen we!

Succes.

We denken aan jullie.

Best, reageerde Celina naar Femke.

Zaterdagavond 8 uur surprise, sms'te Jasper aan Niki. *Maak je mooi en zet je schrap.*

Vrijdag:

Rotdag vandaag, sms'te Maaike aan haar vriendinnen. *Patiënte overleden, moeilijk, hoor.*

Zal ik langskomen? vroeg Celina, *heb toch geen plannen voor vanavond.*

Lief van je, maar Luc komt ☺

Dus kun je me niet gebruiken, begreep Celina.

Je kunt beter met potten werken dan met patiënten, sms'te Sonja meelevend. *Sterkte!*

Niki is weer eens erg stil. Waar zou ze toch mee bezig zijn?

Geen tijd, moet me mooi maken, morgenavond uit, berichtte Niki.

Ha, ze leeft nog, met wie? wilde iedereen weten.

Maar er kwam geen antwoord.

Zaterdag:

Kom je beneden, Celina, je zou mijn haren toch doen?! sms'te Femke.

Femke, help! Ik heb een rode neus, wat doe ik daaraan? sms'te Niki in paniek.

Ben je verkouden? Gewoon aanstippen met een beetje camouflage.

Ondertussen was Celina opgewekt naar beneden gekomen en ze stond nu naar Femke te kijken. „Klaar?"

„Niki heeft problemen. Ze is niet mooi genoeg."

„Zelfs met een knalrode neus zou Niki nog mooi genoeg zijn," vond Celina.

Femke schoot in de lach. „Dat is dus precies waar ze last

van heeft en ze heeft er écht last van, maar misschien helpt mijn advies. Nou, kun je er wat mee?"

„Jou snap ik dus ook niet. Je ziet er prachtig uit. Hoe kun je zeggen dat ik je haar moet doen?"

„Maar ik ga uit met Benny. Het moet echt perfect zitten!"

Celina liep op haar af, pakte voorzichtig een lok beet, maar liet meteen weer los, omdat Femkes telefoontje begon te spelen.

„Niki weer. Wat kan die zich aanstellen als ze uitgaat. Nu heeft ze weer een sproetje te veel. Terwijl ze altijd al honderden sproetjes heeft." Femke moest lachen, maar Celina lachte nog harder.

„Kijk naar jezelf, grapjas."

„Wat? Ik stel me toch niet aan? Mijn haar lijkt gewoon nergens naar, dat is heel wat anders."

Celina grijnsde, maar hield verder haar mond. Ze begreep Femkes zenuwen heel goed. Eindelijk zou het gebeuren. Ze zou gaan stappen met Benny. Als zij uit zou gaan met Dennis, moest alles ook perfect zitten. Zelfs al zat het dat al. Nee, Dennis niet... „Met wie gaat Niki eigenlijk uit?"

„Dat wilde ze niet kwijt. Daar heb je haar alweer." Femke pakte opnieuw haar telefoontje en las het sms-bericht. „Haar navelpiercing is gaan ontsteken. Wat ze daar tegen kan doen," verzuchtte Femke. „Ik bel haar maar even op, dat gaat sneller."

Celina ging erbij zitten. Dit kon nog wel even duren. Ze keek naar haar hartsvriendin. Ze zag er geweldig uit. Een gezonde, rode kleur, glanzende ogen. Omdat ze verliefd was en omdat ze uitging. Celina was heel blij voor haar.

„Piercing eruit, dikke crème erop en een langer truitje dan normaal aantrekken," was Femkes advies toen Niki de telefoon had opgenomen.

„Ja, daar kan ik ook niets aan doen. Weet je wat? Doe er zo'n leuke Donald Duckpleister op. Heeft ie nog wat te lachen. Joh, ik ben ook bezig me mooi te maken. Eigenlijk heb ik nou geen tijd. Veel plezier en see you!" Ze keerde zich naar Celina en grinnikte. „Ze denkt dat ze uitgekleed gaat worden vanavond en dan staat zo'n ontstoken navel nergens naar natuurlijk."

Celina schoot ondanks alles in de lach. „En toen heb jij die pleister aanbevolen?"

„Leek me wel verrassend."

„Heel verrassend," moest Celina toegeven. Of het nu Jasper was of Dennis die het te zien zou krijgen, het was echt wel een gedachte om om te lachen. „Nou, wat wil je precies met je haar?"

„Opgestoken, maar speels. Nonchalant slordig, maar toch netjes."

„Net zoals altijd dus."

„Nee!" riep Femke uit. „Leuker, mooier, superder!"

„Wat trek je aan?"

„M'n nieuwe topje."

„Welk?"

„Poeh, dat met die glittertjes natuurlijk. We gaan naar een dancing."

„Oké, zal ik dan ook glittertjes in je haar doen?"

„Super!"

Hoewel er op Femkes telefoontje nog vijf sms'jes binnenkwamen, bleef ze stil op de kruk zitten tot Celina helemaal klaar was. „Mag ik nou kijken?" vroeg ze ongeduldig. Ze rende naar de spiegel in de gang. „Ooh!" riep ze verbaasd uit. „Wat heb je dat geweldig gedaan! Echt geweldig!"

Celina kwam lachend bij haar staan en keek toe hoe Femke haar hoofd van alle kanten probeerde te bewonderen. „Wacht, ik haal een handspiegel." Ze rende naar boven en kwam meteen weer terug. „Sta stil, dan laat ik in de spiegel je achterkant zien."

„Ooh, waanzinnig." Femke draaide zich om en sloeg haar armen om haar vriendin heen. „Dankjewel. Zo móet Benny wel voor me vallen."

„Dat was toch al gebeurd?" zei Celina lachend. „Zeg, als je straks aangekleed bent, laat me dan nog even kijken of het nog steeds goed zit en dan spuit ik er meteen wat extra haarlak op."

„Je bent een schat. Nu nog even Niki helpen en dan ga ik me lekker omkleden. In bad ben ik al geweest, oksels al gedaan. Dus met de laatste hand kan begonnen worden." Ze zei het stralend, maar ze fronste haar wenkbrauwen tijdens het lezen van de sms'jes.

„Wat?" vroeg Celina nieuwsgierig.

„Ze heeft geen condooms meer in huis!"

„Moet ze óns dat sms'en?"

„Blijkbaar. Alsof wij op staande voet in de auto springen om haar een pakje te brengen. Als ze nou twee straten verderop woonde! Maar 21 kilometer."

„Heb jij die dan in huis?" Celina keek Femke verbaasd aan.

Femke bloosde, maar gaf als reactie de woorden die ze intoetste als antwoord aan Niki: *Een beetje man heeft zelf condooms bij zich*.

Nu was het Celina die een ernstig gezicht trok. „Is dat zo?"

Femke haalde haar schouders op. „Ik vind eigenlijk van wel. Ik vind het een kwestie van betrouwbaarheid als hij ze bij zich heeft. Dat hij ook voorzichtig wil doen. Ik zou het op prijs stellen als Benny ze bij zich heeft. Tenminste... als het zover is, ja. Dan pas."

„Maar?"

„Ik heb zelf ook een pakje gekocht, dat wel. Voor het geval

dát." Ze grijnsde ietwat verlegen. „In de toiletten in 'Crosspoint' hangen ze."

Celina knikte. Dat wist ze wel, maar ze had ze nog nooit zelf aangeschaft.

„Het lijkt me zo erg als je ze niet hebt en nog de straat op moet op het moment dat je zin hebt!" Femke schoot in de lach bij het idee.

Celina lachte mee. „Vooral als het koud is buiten."

„Precies. Dan kun je net zo goed thuisblijven, want als je ze eenmaal gehaald hebt, heeft niemand ze meer nodig. Wat nou weer? Het lijkt wel alsof Niki voor het eerst uitgaat vanavond. Wat een zenuwengedoe." Maar haar ogen begonnen te schitteren toen ze de tekst op haar telefoon las. „Het is van Benny. Hij schrijft dat hij uitkijkt naar vanavond. De schat!"

„Zeg dat wel," was Celina het met haar eens. „Hartstikke lief om dat te sms'en." Ze pakte haar spulletjes bij elkaar en liep naar de trap. „Ik ben boven, maar als je me nodig hebt, roep je maar."

Op haar kamer op de zolder aangekomen, zag ze dat ook zij berichtjes had van Niki. *Help me, wat moet ik met mijn haar? Het zit zo springerig!* Celina schudde glimlachend haar hoofd. Was ze zelf ook zo in alle staten als ze een afspraakje had? *Past precies bij jou!* sms'te ze terug. Te laat realiseerde ze zich dat Niki dit gemakkelijk verkeerd kon opvatten. Springerig... Van Dennis naar Jasper en weer terug. Maar verstuurd was verstuurd en ze had ook geen zin om het uit te leggen. Als Niki het verkeerd begreep, kon ze het altijd nog uitleggen. Dat ze bedoeld had dat het haar juist zo leuk stond, al die prachtige rode krullen die alle kanten opsprongen. Van Jasper naar Dennis... Haar gezicht betrok, omdat ze weer aan Dennis dacht en omdat ze opeens haarscherp wist dat zij nog veel paniekeriger en zenuwachtiger zou zijn als zíj een date met Dennis had.

Haar blik viel op haar oude knuffelbeer, die haar met zijn ene oog zielig aankeek. Ze kwam in beweging, maar hield zich in. Nee, beer was misschien zielig, zij niet. Ze zou hem niet pakken en tegen zich aan drukken. Ze zou die avond heerlijk van een uitgebreid bad gaan genieten, want dat had ze zich voorgenomen. Dat kon ook wel als Femke thuis was, maar toch was het lekkerder als ze helemaal alleen was. Ze verheugde zich erop dat Femke weg zou zijn. Ze had er speciaal tijdschriften voor gekocht om lekker lang in bad te liggen lezen. Scrubben, peeling, gezichtsmasker, later lekker insmeren met bodylotion. Ja, een hele lange avond helemaal alleen voor zichzelf. Ze keek er echt naar uit en ze zou de avond niet laten bederven door aan Dennis te denken, Dennis en Niki... Nee!

Als Celina geweten had dat Niki met Jásper uit zou gaan, had ze zich misschien een stuk rustiger gevoeld. Helaas wist ze dat niet.

Niki stond ondertussen opnieuw voor de spiegel haar gezicht te bekijken. De neusvleugels leken wel heel erg rood, ondanks dat ze er al van alles op gesmeerd had. Haar haar zat voor geen meter, maar gelukkig had ze wel de perfecte kleding in haar kast gevonden: een nauwsluitende, sexy jeans tot haar kuiten, die haar billen en bovenbenen nog slanker maakten dan ze al waren. Een wit kreukelbloesje dat net lang genoeg was om haar rode navel te bedekken. Dat ergerde haar wel. Waarom nou juist vanavond? Maar goed, ze had wel haar hooggehakte schoenen met tijgerprint aan. Die stonden zo uitdagend en verleidelijk, daar móest Jasper wel voor door de knieën gaan.

Ze grinnikte opeens hardop. Door de knieën! Dat had hij allang gedaan. Hij was een humoristische man. Ze mocht hem graag. Knap en aantrekkelijk. Wat wilde ze nog meer?

Waarom deed ze zo moeilijk de laatste tijd? Als ze Jasper goed bekeek, was hij aantrekkelijker dan Dennis, dus waarom dacht ze dan steeds aan hém?

Ze zuchtte en stipte een sproetje aan dat haar net iets te donker van kleur was. De avond zou een verrassing worden. Ze was zo benieuwd wat hij daarmee bedoelde. Ze fronste haar wenkbrauwen en hield haar gezicht nog dichter bij de spiegel. Zat daar een puistje? Nee toch?!

Opeens ging de bel. Ze schrok. Hij was er. Het was klokslag acht uur en Jasper was een man van de tijd. Dat zou waarschijnlijk het enige probleem zijn dat er tussen hem en haar zou bestaan: dat zij altijd moeite had om op tijd klaar te zijn. Maar vanavond was het haar gelukt. Dat puistje zat er vast niet en ach, die sproetjes stonden normaal gesproken altijd heel charmant. Trots dat ze op tijd klaar was, liep ze op haar dunne, hoge naaldhakken naar de voordeur. Stralend deed ze hem wijd open, maar ze keek verbaasd en verward naar de man in het zwarte kostuum die voor haar stond.

„Mevrouw," zei de man met een aardappel in zijn keel, „mag ik u voorgaan naar de taxi die beneden voor u klaar staat?"

„Je mag van mij overal naartoe voorgaan, maar noem eens een reden waarom ik jou achterna zou lopen." Ze keek hem uitdagend aan, maar op zijn gezicht stond niet te lezen wat hij dacht. Hij had zijn mondhoeken duidelijk onder controle, want er verscheen niet eens een glimp van een glimlach rond zijn mond.

„Omdat meneer Jasper op u wacht."

„Menéér Jasper?" Ze begon te giechelen, maar hield zich in. Als het spel zo gespeeld moest worden, kon zij dat ook. „Goed, dan mag je mevrouw Niki haar jas wel aangeven." Ze wees sierlijk met haar hand richting kapstok.

Nu verscheen er toch een kleine grijns op het gezicht van

de man. „Welke had mevrouw voor vanavond in gedachten?" vroeg hij beleefd, kijkend naar de minstens zes verschillende jassen en jacks die aan de kapstok hingen.

„Welke denk je zelf dat het meest geschikt is?" vroeg ze.

Hij liet zijn blik over de jassen gaan en vervolgens bekeek hij haar van top tot teen. „Deze," zei hij en pakte de dikste jas die ertussen hing. „Mevrouw is niet erg warm gekleed namelijk." Beleefd hield hij de jas voor haar op en Niki stak haar armen in de mouwen.

„Zullen we dan maar?" vroeg de man. Hij hield de deur voor haar open.

„Momentje, hoor. Tasje, sleutel, telefoon. Ja, ik heb alles." Ze stapte het trappenhuis in en wachtte tot hij de deur achter hen dichttrok en vervolgens voor haar ging lopen de trap af. Ze volgde hem keurig, maar grinnikte inwendig. Het was niet de begroeting die ze verwacht had en jammer genoeg had ze nu haar jas aan en zou Jasper zometeen niet zien hoe mooi ze was, maar origineel was het wel. Ze was erg benieuwd wat er nog meer ging gebeuren.

Buiten stond een frisse wind en ze was inderdaad blij dat ze haar bomberjas aan had. „De auto staat om de hoek, mevrouw," zei hij en hij ging haar voor over de stoep. Hij sloeg de eerste zijstraat in en daar stond een zwarte limousine, die zo lang was dat Niki vermoedde dat er wel vier banken achter elkaar in stonden. De ramen waren geblindeerd. Ze kon dus niet maar binnen kijken, maar als Jasper daar in zat, kon hij haar vast wel zien. Haar en haar tijgerprintschoenen. Verleidelijk bewoog ze zich over de straat, liep achter de man aan en stond toen stil naast de auto. Hij trok het achterste portier voor haar open. „Mevrouw?" zei hij uitnodigend.

Ze knikte naar hem, maar wierp toch eerst een blik naar binnen om er zeker van te zijn dat Jasper erin zat en niet een of andere malloot die snode plannen met haar had. Maar het was Jasper. Grijnzend zat hij op een bank, zijn benen languit voor hem uitgestrekt. Een sigaret in de ene hand en een glas in de andere. „Dag schat," zei hij opgewekt, „kom verder. Wil je ook een glas?" Hij wees op een fles die in een koeler stond. Champagne?

Niki klom de auto in en liet zich lachend naast hem op de bank vallen. „Idioot!" riep ze uit.

„Dus niet?"

„Nee, helemaal niet. Ik wil eerst uitgebreid begroet worden."

Hij keek haar lachend aan, drukte zijn sigaret uit in een asbak, zette zijn glas weg en spreidde zijn armen uit. „Kom hier dan," zei hij.

Het volgende moment voelde ze zijn heerlijke lippen op de hare en wist ze weer waarom ze vanavond uitging met hem. Hij zoende als geen ander. Ze voelde de rillingen van genot door haar lichaam schieten, hij kon zó zoenen dat ze het in haar tenen voelde. Zijn handen gleden onder haar jas die ze open had hangen, gleden over haar rug, en het dunne kreukelbloesje bleek nauwelijks enige bescherming te bieden. Zelfs door de stof heen voelde ze zijn handen branden op haar huid.

„Mmm, wat smaak je weer heerlijk," mompelde hij.

Haar handen zaten ook niet stil. Ze gleden over zijn armen naar zijn nek. Ze hield zijn gezicht in haar handen, voelde de stoppeltjes die hij met opzet had gekweekt omdat het hem zo goed en mannelijk stond en maakte zich even van zijn mond los om hem in de ogen te kunnen kijken. „Hm, jij ook," zei ze en boog zich weer naar hem toe, liet haar lippen over de stoppetjes glijden, over zijn kin, naar zijn hals, gleed met haar tong over de gladde huid van zijn hals, zijn adamsappel en het kuiltje tussen de sleutelbeenderen.

„Grrr," kreunde hij, terwijl hij haar stevig bij haar heupen beetpakte en heftig tegen zich aandrukte. „Je maakt me gek, weet je dat wel," zei hij met een hese stem.

Niki lachte van achteruit haar keel, kuste zijn neus, zijn oogleden en vond toen zijn lippen weer, maar opeens maakte ze zich van hem los. „Pfff," zei ze, „wat is het hier benauwd. Die bediende van jou wilde per se dat ik mijn bomberjas aan deed, maar nu mag ie wel uit, toch?"

Hij grijnsde om het woord bediende, maar hielp haar bij het uittrekken van haar jas. Plotseling bleef ze doodstil zitten. Haar blik op het donkere raam gericht. „We rijden," fluisterde ze.

Jasper lachte. „Ja, daar is een auto toch voor."

„Een auto? Noem je dit een auto? Waar gaan we naartoe?"

„Waarheen jij wilt."

„Dan wil ik naar de zee. Pootjebaden."

„Pootjebaden? Met dit weer? Heb je de zomer in je hoofd?"

„Met jou wel," zei ze overdonderd door de hele situatie.

„Ook goed." Hij drukte grinnikend op een knopje en zei toen: „Karel, mevrouw wil naar de zee."

„Komt in orde," zei de man vanachter het stuur.

Niki keek naar de glazen ruit die hem van hen scheidde. Ze schudde verbaasd haar hoofd. „Wat een wagen, zeg."

„Zie je dat nu pas? Je zit er al tien minuten in!" Lachend trok hij haar weer tegen zich aan. Nu verborg het dunne bloesje helemaal niets meer voor zijn handen. Ze voelde ze op haar naakte rug en ditmaal stond haar huid echt in brand. Hun lippen vonden elkaar opnieuw en ze genoot van zijn zachte strelingen over haar rug, over haar jeans, haar billen, haar bovenbenen.

„Jasper," fluisterde ze zacht.

„Hm?"

„Ga door!" Op dat moment wist ze opeens dat ze niet meer aan Dennis zou denken, dat ze voor Jasper koos, dat ze deze man niet meer zou laten lopen. Dennis vervaagde en werd een schim, een mistflard, die oploste in het niets. Zelfs het feit dat ze eigenlijk in een taxi zat, deed haar op dat moment totaal niets meer. Er was nog maar één man voor haar en dat was Jasper.

10

Ondertussen sprong Femke in haar auto, want ze zou om half negen bij de carpoolplaats zijn. Ze moest opschieten. Ze had geen idee of Benny iemand was die altijd op tijd kwam, maar zelf wilde ze in geen geval te laat zijn. Ze stak haar hand op naar het raam, waar Celina achter stond te zwaaien. Grijnzend reed ze de straat uit en voelde de spanning door haar lichaam schieten. Ze had hier zo naar uit gekeken. Eindelijk een avondje stappen met Benny. Eindelijk zou ze hem wat beter leren kennen. Ze had een heel kort overgooiertje aan, zwart, met glanzende knopen. Daaronder een wit topje met glittertjes en een legging met een zwart-wit luipaardmotief. Korte, witte laarsjes met hoge, stevige hakken, waar ze goed op kon dansen.

Vijf minuten te vroeg reed ze de afgesproken plek op. Meteen zag ze een auto die knipperde met de koplampen. Ze lachte. Hij was er al. Ze parkeerde, stapte uit, deed haar auto op slot en liep naar de auto van Benny toe. Hij kwam er niet uit om haar te begroeten en dat stelde haar even teleur, maar zodra ze naast hem plaats nam, was ze die gedachte vergeten. Met beide handen pakte hij haar schouders beet en trok hij haar hoofd naar zich toe. Hij bedekte haar gezicht met kleine, lieve kusjes en Femke voelde de tintelingen kriebelen in haar buik.

„Mmm, je hebt echt een heerlijk zachte huid. Precies zoals ik me herinnerde."

„En het leuke is," zei Femke, „niet alleen op mijn gezicht."

„Hmmm," zei hij met een klank die duidelijk maakte dat hij erg veel zin in haar had, terwijl hij zijn handen over haar rug liet glijden en haar nog dichter tegen zich aantrok. „Dat hoop ik dan snel zelf te mogen vaststellen." Nog een laatste kusje voelde ze op haar neus, toen liet hij haar los. „Negen uur is negen uur," zei hij en startte de motor.

„Heb je een afspraak dan?" Ze keek hem wat beduusd aan. Een echte zoen had ze nog niet eens gehad.

„Nee, maar ik hou me graag aan mijn eigen planning." Hij glimlachte snel naar haar, maar tuurde toen de donkere avond in om de oprit naar de snelweg te zoeken.

In dancing 'The Power' was het al druk. Dat verbaasde Femke, want zij was gewend dat het in hun discotheek pas tegen twaalven echt druk werd. „Hier komen de mensen echt om te dansen," verklaarde Benny haar, terwijl hij haar bij de hand hield en meetrok door de menigte heen. Vlak voor de draaitafels bleef hij stilstaan en keek hij vol belangstelling naar alle apparatuur die er opgesteld stond. Hij knikte uitgelaten. „Mooi spul," mompelde hij waarderend.

„Zullen wij ook dansen?" vroeg Femke hem.

„Ja, zo." Hij keek naar de diskjockey, liet zijn blik over de mensen heen door de zaal glijden op zoek naar luidsprekers en andere apparatuur. Hoewel hij nog steeds Femkes hand vasthield, stond ze er toch voor Piet Snot bij. Alsof hij haar aanwezigheid totaal vergeten was. „Hé," zei ze in zijn oor. „We zijn hier samen, hoor."

Hij knikte glimlachend, maar keek haar niet aan en Femke moest inwendig lachen om zichzelf. Had ze niet gedacht dat ze elkaar eindelijk beter zouden leren kennen? Dat klopte dus, want op dit moment begreep ze dat apparatuur voor hem belangrijker was dan een meisje. Belangrijker dan zij en dat viel haar knap tegen. Tegelijkertijd realiseerde ze zich ook dat dat de reden was waarom hij juist hier naartoe gewild had en dat ze dus in feite gewaarschuwd was geweest. Toch deed het een beetje pijn.

Er kwam een jongeman op haar af. Hij ging dansend voor haar staan en Femke kon het niet laten. Ook zij begon voorzichtig te dansen. Ze maakte zich los van Benny en danste met de man. Maar toen hij haar in zijn armen wilde nemen om tegen elkaar aan te dansen, schudde ze haar hoofd. Los dansen was oké, meer wilde ze niet.

De man keek teleurgesteld en wilde zich omdraaien, maar die kans kreeg hij niet. Benny had hem met twee handen vastgegrepen. Wat hij hem toe siste, kon Femke niet verstaan, maar de man droop snel af. „Je bent hier met mij," zei Benny. „Ik wil niet dat je met anderen danst. Vanavond ben je van mij!" Hij pakte haar beet, drukte haar tegen zich aan en begon zijn heupen te bewegen op het ritme van de muziek. Hij legde beide handen op haar billen en drukte haar buik tegen de zijne. Hij kuste haar in haar nek, achter haar oor. Langzaam gleden zijn lippen over haar wang naar haar mond en eindelijk, eindelijk zoenden ze elkaar zoals Femke al die tijd al gedroomd had. De gedachte dat ze hem bezitterig vond, verdween ergens tussen het gefladder van de vlinders in haar lijf en de tintelingen op haar huid. Haar handen gleden onder zijn leren jasje over de dunne stof van zijn bloes en ze voelde dat hij net zo genoot als zij.

„Zo, hé, jij bent echt wel een lekker stuk," zei hij grijnzend, toen hun monden elkaar eindelijk loslieten. „En zo super als je eruitziet! Met jou wil ik overal wel gezien worden!" Zijn donkere ogen fonkelden in het licht van de lampen. Hij keek haar verliefd aan en Femke voelde haar knieën knikken. Ze hield hem vast en straalde. Hij wist wel precies wat hij zeggen moest om haar te laten smelten.

Dat wist Jasper ook, vond Niki op datzelfde moment. En niet alleen dát, hij wist ook precies hoe hij haar voor zich kon winnen. Lachend nam ze een slok uit haar glas. Het was inderdaad champagne en de kleine belletjes in de goudkleurige drank prikkelden haar tong en zinnen. Op een schaal lagen overheerlijke hapjes en stukjes fruit. Ze voerden elkaar druiven, terwijl ze steeds inniger tegen elkaar aan kwamen te liggen in de auto die van alle comfort voorzien was.

Niki voelde zich dronken van genot, van Jaspers handen die steeds verder op onderzoek uit gingen, van zijn lippen die haar zo teder raakten, dat ze af en toe dacht dat ze door vlinders beroerd werd.

Nu duwde hij haar iets aan de kant, legde haar voorzichtig languit op de bank en ging zelf op zijn knieën op de bodem van de auto zitten. Met een begerige blik in zijn ogen pakte hij de fles champagne, deed behoedzaam haar dunne blouse iets opzij en liet voorzichtig een klein straaltje kostbaar vocht in haar navel lopen. Haar buikspieren trokken samen toen de alcohol het ontstoken plekje raakte, maar het volgende moment voelde ze zijn tong en lippen die de champagne weg likten. Ze kreunde door de intense en heerlijke aanraking, al schoot het nog wel door haar hoofd dat ze blij was dat het zo donker was in de auto en Jasper niet kon zien dat haar navel er rood uitzag.

Zijn tong gleed verder over haar platte, naakte buik. Haar handen grepen zijn hoofd beet en drukte zijn gezicht dichter tegen haar aan.

„Ik wil je," kreunde hij hees.

Niki schrok op van een krakerig geluid. Toen hoorden ze Karels stem: „Als mevrouw wil pootje baden, zal ze ver moeten lopen, maar we zijn er."

Verward keek ze op. Ze was echt vergeten waar ze naartoe onderweg waren. Het was alsof de hele wereld buitengesloten was en alleen Jasper en zij nog bestonden. Nu besefte ze dat ze naar de zee gewild had. Hoezo ver lopen?

Jasper ging weer zitten en keek haar lachend aan. „Het zal

wel eb zijn," zei hij, haar gedachten radend. „Kom, jas aan, uitstappen."

Ze zocht naar haar schoenen, maar vond ze niet zo snel.

„Pootjebaden doen we op blote voeten," zei hij grijnzend en trok zijn eigen schoenen ook uit. „Naaldhakken lijken me trouwens niet geschikt." Hij pakte haar bij de hand en trok haar mee de auto uit, een dijkje op en bleef staan. Er was geen zee te zien. Alleen maar grote, natte zandvlaktes die glinsterden in het licht van de maan.

„Karel heeft ons naar de Waddenzee gebracht," zei Niki.

„Dat lijkt me logisch, meisje, die was het dichtste bij." Hij trok haar mee, richting zee, maar toen hun blote voeten het natte zand bereikten, bleef hij stilstaan en nam hij haar in zijn armen. Ze huiverde. Er stond een felle wind en het zand was koud. De huiveringen maakten echter snel plaats voor rillingen van genot, want weer gleden zijn handen over haar lichaam en raakten zijn lippen de hare. Toen ze even haar ogen open deed, zag ze de zwarte hemel boven hen waaraan duizenden sterren fonkelden. Er ontsnapte haar een diepe zucht en ze drukte hem steviger tegen zich aan.

Femke genoot van het dansen met Benny. Hij had een lenig lijf en bewoog het sensueel tegen het hare tegen het hare. Hij had ook een enorm goed ritmegevoel, wat wel logisch was natuurlijk, maar tegelijkertijd ook bijzonder verrassend. Ze voelde zich een worden met de muziek en met Benny en liet zich gaan zoals ze zelden op de dansvloer deed. Haar hele lichaam bewoog mee met hem en de opzwepende muziek. Ze voelde zich mooier dan ooit als ze in zijn ogen keek. Ze vergat dat er nog andere mensen aanwezig waren. Ze legde zijn handen op haar heupen, haar eigen op zijn schouders en bewoog op een manier die ze amper van zichzelf kende.

Het was alsof de dancing er alleen voor hen was, alsof de muziek alleen voor hen gedraaid werd, alsof er verder helemaal niemand meer was. Ze voelde het verlangen naar hem in haar lichaam groeien, groter en sterker worden en ze zag in zijn ogen dat hij haar ook wilde. Zijn handen gleden van haar heupen naar haar billen en weer drukte hij haar onderlijf tegen het zijne. Toen wist ze zeker wat hij wilde. Kreunend liet hij zijn lippen langs haar hals glijden, zijn tong vond haar oor en Femke kreunde net als hij.

Niki liet zich weer op de bank in de grote limousine zakken. „En nu?" vroeg ze hem met een stem die schor klonk.

„Jij mag het zeggen," zei Jasper.

„Druk dan eens op dat knopje," zei ze giechelend.

Jasper deed wat ze vroeg.

„Karel, nu wil ik graag dat je me naar de zevende hemel brengt."

„Dan moet u voorin komen zitten," zei Karel op ernstige toon, „want met die ruit ertussen kan ik dat natuurlijk nooit."

De zondag daarop stonden de telefoons van de vriendinnen niet stil. Er werd ge-sms't, gebeld, gekletst. Iedereen wilde alles weten. Sonja kwam zelfs naar Femke toe en liet zich op een stoel vallen met een blik van mij-krijg-je-hier-niet-weg-voordat-ik-alle-details-weet. Celina grinnikte en knikte instemmend. Ook zij wilde alles van Femke weten, want al had ze al flarden te horen gekregen, alles wist ze nog steeds niet. De voornaamste reden was dat Niki hen steeds stoorde, want die wilde haar details ook kwijt.

Celina had er moeite mee om naar Niki's verhaal te luisteren, want ze was bang dat ze de volgende keer net zo uitgebreid een verhaal over Dennis aan moest horen. Al moest ze wel toegeven dat ook zij diep onder de indruk was van de manier waarop Jasper probeerde Niki's hart te veroveren – een heuse limo!

„Hij kust zo heerlijk!" vertelde Femke enthousiast. „En dansen, dat kan hij als de beste. Echt, ik heb nog nooit zo heerlijk gedanst. Ik kon me helemaal laten gaan. Poeh, wat is dat lekker, zeg!" Ze straalde en glunderde met haar hele gezicht.

„En hoe was hij verder?" vroeg Sonja.

Heel even betrok Femkes gezicht. Het viel Sonja niet op, maar Celina zag het. Misschien omdat zij haar beter kende? „Gewoon te gek," zei Femke lachend. „En hij zag er zo goed uit in dat leren jasje."

„Maar hebben jullie het gedaan?" vroeg Sonja.

Opnieuw was er even die vlaag van somberte zag Celina en ze nam zich voor als Sonja weg was dieper in te gaan op Femkes verhaal.

Femke herstelde zich supersnel. „Ben je mal! Het was ons eerste afspraakje."

„Maar je had wel zin?"

„Mmm." Femke keek haar lachend aan. „Hij heeft zo'n heerlijk lijf en zulke heerlijke handen. Die slanke vingers weten precies hoe ze je beet moeten pakken. Hmm." Even sloot ze haar ogen bij de herinneringen. Rond haar lippen speelde een verzaligde glimlach.

„Niki ook niet," ging Sonja door, die de verschillende emoties op Femkes gezicht niet zag. „Heb je dat gehoord? Ze is in slaap gevallen!"

Celina en Femke proestten het uit. „Ja, we hoorden het. Te veel champagne gehad, natuurlijk."

„Wel nee, ze kan niet tegen autorijden. Ze valt altijd in slaap als ze niet zelf achter het stuur zit. Dat heb ik ook," zei Sonja. „Dat monotone gebrom van de auto, daar val ik ook altijd van in slaap." Ze gierde van het lachen. „Lijkt me echt fantastisch. Ben je helemaal in de mood en dan…"

„Een echte afknapper," grinnikte Femke. „Was Jasper erg kwaad?"

„Ze zei van niet. Die lag ook bijna te pitten. Ze hebben uren rond gereden en drie flessen champagne leeggedronken, dus die was ook niet echt meer in staat tot wat hij van tevoren misschien gepland had."

De meiden hadden de grootste lol. Ze zagen het helemaal voor zich: die grote wagen, de zachte kussens, de lekkere hapjes, een romantisch muziekje, heerlijke, onderzoekende handen, buiten een donkere lucht vol sterren en twee paar ogen die langzaam maar zeker dicht zakten.

„Is hij bij haar blijven slapen of zij bij hem?" vroeg Femke fronsend. „Daar heb ik niets over gehoord, maar dat lijkt me wel logisch na zo'n avond."

„Nee, hij ging naar huis," zei Sonja giebelend. „Ook dat nog. Het was het weekend waarin hij zijn dochtertje, Anouk, zou krijgen, maar omdat ze nog niet helemaal beter was, mocht ze van haar moeder alleen op zondag naar hem toe. Dus hij wilde alleen thuis zijn als ze er was, zodat hij niet meteen van alles hoefde uit te leggen."

Dus ze had het nog steeds niet met hem gedaan, schoot het door Celina heen. Niet met Jasper, maar wel met Dennis. Ze stond op. „Zal ik een kopje espresso zetten?"

„Graag," zei Femke. „Ik kan wel een opkikkertje gebruiken. Heb slecht geslapen vannacht. Zag de hele tijd de ogen van Benny voor me." Ze slaakte een zucht van genot bij de herinnering.

„Voor mij niet," zei Sonja. „Ik moet weer terug. Mijn oma komt op bezoek en mijn moeder wil dat ik dan ook thuis ben." Ze keek Femke aan. „Hebben jullie een nieuwe afspraak gemaakt?"

Femke schudde haar hoofd. „We zien wel. Hij dacht dat hij

donderdag ergens moest draaien, maar het stond nog niet vast. Het leek hem wel leuk als ik mee ging en mij ook, maar dat hoor ik nog."

Sonja glimlachte en kwam overeind. „Ik vind het reuze voor je, Femke. Geniet ervan!"

Dit was de kans voor Celina om te vragen wat er nou precies aan de hand was. Ze zette twee kopjes espresso op het tafeltje neer en ging tegenover Femke zitten. „Zo, en nou de rest," zei ze ernstig.

Femke keek haar eerst vragend aan, maar begon toen te kleuren. „Jij kent me nog beter dan ik mezelf ken," zei ze verlegen.

„Wat is er?"

„Ik weet het niet. Alles was waar wat ik zei. Hij was lief en aardig en hij bewonderde mijn outfit en mezelf en hij was echt blij dat ik bij hem was en toch..." Ze haalde haar schouders op, maar haar gezicht klaarde op. „Het kwam door de apparatuur daar, door al die speakers en boxen en weet ik wat. Hij vond het zo heftig wat ze daar hadden staan. Het is immers zijn grootste hobby, muziek draaien..."

„Hij vond de apparatuur interessanter dan jou?"

„Even wel, maar toen er iemand anders met me dansen wou, werd hij bijna kwaad. Ik was van hém," zei hij.

„Femke!" Celina keek haar geschrokken aan.

„Nou ja, die avond, zei hij erbij. Ik was gisteravond van hem."

„Oké, dat klinkt beter, want aan een jaloers persoon kun je beter niet beginnen. Die zijn vaak zo bezitterig, dan kun je nooit meer iets met een ander doen."

Femke knikte en nipte van haar koffie. „Brr, wat sterk."

„Te? Moet ik nieuwe zetten?"

„Nee, juist goed zo."

Verder wilde Femke het er niet meer over hebben. Ze

wilde genieten van de herinneringen aan zijn vingers en zijn lippen en zich verheugen op een nieuwe date. „Zeg," zei ze om van onderwerp te veranderen, „was die limo van Jasper zelf?"

„Ik heb begrepen dat hij hem gehuurd had."

„Ook dan moet ie aardig wat geld op de bank hebben staan," bedacht Femke.

„Ben je daar jaloers op? Dat Niki meer in de watten gelegd is dan jij?" Celina keek haar onderzoekend aan.

„Ben je mal! Echt niet!" Het kwam er zo spontaan uit, dat Celina haar meteen geloofde.

„Iedereen is anders en Jasper ziet er zeker goed uit, maar hij is totaal mijn type niet," zei Femke glimlachend. „Wat heb je aan een man met limo als hij je type niet is?" Ze stond op. „Ik ga Benny nog even sms'en om hem te bedanken voor de leuke avond en het heerlijke dansen."

„Dan kan ík beter opstaan, meid. Dit is jouw kamer." Celina vertrok lachend naar haar eigen verdieping.

Maandagavond:

We hebben de kavel, we hebben de kavel, sms'te Maaike aan iedereen die het weten en zelfs niet weten wilde. *We gaan bouwen!*

En trouwen? sms'te Sonja terug. *Gefeliciteerd. Geweldig.*

Vrijdag kunnen we al bij de notaris terecht. Zaterdagmiddag beginnen we met de fundering. Om 13.00 uur. Iedereen welkom.

Van harte!

Veel geluk!

Tof, hé!

Kom eerst bij mij langs, sms'te Sonja aan Celina, Niki en Femke. *Ik heb iets grappigs bedacht.*

Zullen we zaterdag naar de nacht van Zuidzijl? vroeg Niki aan de groep.

Wat is daar te doen?

Het hele dorp heeft feest. We kunnen kroeg in kroeg uit en ze hebben mooie mannen in hun voetbalteam.

Niki! Ben je nu nog niet tevreden???

☺

11

Om kwart voor een die zaterdag waren Femke en Celina bij Sonja. Ze keken verbaasd naar het bestelautootje dat bij haar voor de deur stond. „Van de pottenbakker," zei ze. „Kijk!" Ze opende triomfantelijk de deuren aan de achterkant. „Mislukte potten."

„Mislukte?" riep Celina uit. „Die zien er toch prachtig uit!"

„Dat is schijn. De meeste hebben geen bodem of de handvatten zijn eraf gebroken. Ik ben al weken kapotte potten aan het sparen."

„Waarvoor?"

„Loop even mee naar de schuur. Daar staat de rest. Kunnen we jullie auto ook vol zetten."

Samen sjorden ze de potten en brokstukken naar Celina's auto en zetten ze in de kofferbak. Precies toen ze klaar waren en uit stonden te puffen, kwam Niki eraan rijden.

„Dat heb je mooi uitgekiend," zei Sonja hoofdschuddend. „Stap meteen maar weer in. We moeten gauw naar Maaike."

Ze reden zover mogelijk het slechte pad op, om zo weinig mogelijk te hoeven sjouwen. De auto's hobbelden op en neer en Sonja hoorde de ene pot tegen de andere knallen, maar vandaag gaf het niet, want ze vervoerde immers alleen maar kapotte potten. Toen ze echt niet verder konden, stopten ze en laadden ze hun potten uit.

Op de kavel van Luc en Maaike stond al een graafmachine, die grote happen aarde uit de grond nam. Maaike stond geboeid naar de werkzaamheden te kijken en had niet door dat haar vriendinnen er al waren.

Keurig zetten de meiden de potten aan de rand van het gat. Opeens zag Maaike hen. Juichend kwam ze op hen af. „Ze zijn begonnen! Hier komt ons huis!" Ze omhelsden elkaar

hartelijk en Maaike en Luc werden uitbundig gefeliciteerd.
„Wat hebben jullie alles snel voor elkaar," zei Celina.
„Tja, Luc kent blijkbaar precies de goede personen, zelfs op het gemeentehuis," zei Maaike lachend. „Wat doet Sonja nou?"
Sonja zwaaide naar de graafmachine en de man zette de motor uit. Er viel een stilte over het terrein en iedereen keek verbaasd op. Lachend en joelend pakten Sonja, Celina, Niki en Femke de potten op en gooiden ze kapot in het gegraven gat. Toen pakte Sonja met beide armen de allergrootste pot en zei: „Wij, als toekomstige bruidsmeisjes, wensen jullie alle geluk van de wereld toe op dit mooie plekje. Scherven brengen geluk en als jullie je huis op deze scherven bouwen, zal het ongetwijfeld een gelukkig huwelijk in een gelukkig huis worden." Celina hielp haar met de pot. Ze zwaaiden hem naar achteren om hem daarna zover mogelijk naar voren te kunnen gooien.
„Nee," riep Maaike geschrokken uit. „Niet míjn mooie pot!"
„Ha, dit is de jouwe niet. Die staat nog bij Luc in de schuur."
„Maar deze... Zestig euro..."
„Joh, deze heeft geen bodem meer," zei Sonja lachend en met alle kracht die ze in zich hadden, gooiden ze de grote pot kapot in het gat waar het huis op gezet zou worden.
Luc liep stralend op hen af. „Dat noem ik nog eens vriendinnen," zei hij met een warme glans in zijn ogen. „Wat een leuk gebaar." Hij sloeg zijn arm om Maaike heen. „Niet dat we dat geluk nodig hebben, want met Maaike kan ik niet anders dan gelukkig worden."
„Slijm, slijm," zeiden Robbin en Martijn. Meteen daarop klonk er een knal en schonk de vriendin van Robbin de glazen vol die op een dienblad stonden. „Wij komen hiernaast

te wonen," zei ze blij, terwijl ze de glazen met champagne ronddeelde. „Proost!"

Daarna reden ze allemaal naar het voetbalveld, omdat v.v. Veldhuizen thuis speelde. Ook al kwamen de mannen te laat voor een uitgebreide warming-up, het werd wel een spannende wedstrijd, die eindigde in gelijkspel. Weliswaar een tegenvaller, want dat scheelde twee punten. Toch was het in de kantine ook weer heel gezellig. Maaike viel even in achter de bar, omdat het drukker was dan ze verwacht hadden en er te weinig vrijwilligers aanwezig waren, maar om zes uur was iedereen dan toch bij Femke en Celina in Lossum aangekomen.

„Hoe zit het nou, Niki?" was het eerste wat Loes vroeg. „Heb je echt twee vriendjes?"

„Kunnen jullie dan over niets anders praten? Er zijn stapels mensen die er twee vrienden of twee vriendinnen op na houden. Volgens de statistieken heeft bijna elke getrouwde man een minnares. Wat is er dan op mijn gedrag aan te merken?"

„Ik zeg er toch niets van," verdedigde Loes zich. „Ik vraag alleen maar of het waar is."

„Het ís waar," zei Lindy. „Ik heb het haar toch zelf horen zeggen!"

„Klopt," zei Maud ijverig knikkend.

„Ander onderwerp!" riep Niki uit.

Er viel een stilte, want een ander onderwerp wist opeens niemand te bedenken.

Gelukkig schoot Niki zelf wat te binnen. „Dat was een geweldig idee, Sonja, van die scherven. Echt super! En hartstikke tof dat wij mee mochten doen."

„Tja, wij zijn toch de bruidsmeiden." Sonja lachte. „Ik heb trouwens een mooie jurk gezien in een catalogus. Wacht, ik zoek hem even op."

Niki zuchtte opgelucht en bekeek de catalogus vol enthousiasme. Ze had echt geen zin om over Jasper en Dennis te praten. Voor haarzelf wist ze wel hoe ze ervoor stond, maar hoe legde ze het aan de anderen uit? Bovendien bestond de kans dat Dennis straks achter het stuur zou zitten als ze een taxi naar Zuidzijl zouden nemen en ze wilde absoluut geen flater staan. Ze zouden haar uitlachen waar hij bij zat, nee, dat moest subtieler aangepakt worden, al wist ze nog niet hoe.

„Wie komt er eigenlijk vannacht spelen in Zuidzijl?" riep Maud.

„Wel zeven verschillende bands," zei Niki. „Wacht, ik heb een programma uit de krant geknipt." Ze pakte haar rugzakje en rommelde er wat in, zag niet dat het kleine, knalrode notitieboekje eruit viel, maar haalde wel het krantenknipsel tevoorschijn. „Kijk." Ze gaf het aan Maud. „Keus genoeg!"

„Volgende!" riep Femke van boven.

„Volgende!" herhaalde Maaike.

Niki keek om zich heen. „Ik zeker?" Ze ging de trap op naar de schoonheidssalon van Femke en liet zich stralend op de behandelstoel zakken. „Met mij ben je wel een paar uur bezig. Ik zie er echt niet uit."

„En je navel?"

„O, die is gelukkig een enorm stuk opgeknapt, maar ik doe die piercing voorlopig niet meer in."

„Dat is dan ook wel zo verstandig, maar verder zie je er toch perfect uit?" Femke bekeek het sproeterige gezicht met de lichte huidskleur die zo mooi afstak bij de rode haren. „Je bent maar een bofkont, jij, met zo'n aangeboren uiterlijk. Ik zou elke dag uren nodig hebben om net zo mooi als jij te zijn."

„Jij?" Niki schoot in de lach. „Dat meen je niet."

„Wel waar."

„Grappig, want ik vind jóu juist zo mooi, met je blonde haar en je pittige gezicht."

Om kwart voor elf stonden er een busje en een auto van de regiotaxi voor het huis van Femke. Ze waren met tien vrouwen, want zelfs Malin was op komen dagen, maar pas nadat ze begrepen had dat het een grapje was geweest van die vijftig euro in de stappot. Ze hadden geloot wie er in de auto zouden gaan. Er mochten immers beslist niet meer dan acht passagiers in een busje.

De taxichauffeur van het busje floot luid toen hij de tien mooie vrouwen het huis uit zag komen. „Het zit me wel mee, vanavond," grinnikte hij.

Celina opende haastig het achterportier van de auto om te voorkomen dat Lindy daar ging zitten. Ze wou onder geen voorwaarde opnieuw het risico lopen dat ze zomaar naast Dennis terecht kwam. Wat had ze nog vaak teruggedacht aan dat moment van vervoering, zijn hand op de versnellingspook, op zijn knie, en in gedachten op de hare...

Er zat een jonge vrouw achter het stuur. Celina zuchtte onhoorbaar, maar wist eigenlijk niet of het van opluchting of teleurstelling was.

„Naar Zuidzijl, heb ik begrepen. Klopt dat?" vroeg de chauffeuse.

„Helemaal," zei Lindy, die naast haar was gaan zitten.

„Dat zal wel dolle pret worden," zei de chauffeuse.

„Hoezo?"

„Vorig jaar had ik ook dienst in de nacht van Zuidzijl. Nou, één grote ellende, hoor. Iedereen was zó dronken." Ze lachte. „Ik had drie mensen in de auto. Ze hoefden maar vijf kilometer. Ik wou ze eerst nog lopend wegsturen, maar ja, waarschijnlijk waren ze dan nooit thuisgekomen. We hebben er drie kwartier over gedaan."

„Drie kwartier over vijf kilometer?" zei Lindy verbaasd.
„Ja, ik moest de hele tijd stoppen omdat er weer eentje kotsen moest." De chauffeuse grinnikte. „Ik heb gezegd dat ik vannacht niet later dan tot twee uur dienst doe op Zuidzijl. Ik heb er geen zin meer in."
„Maar óns kun je straks wel ophalen," vond Lindy. „Wij kotsen nooit."

In de straten van Zuidzijl was het zo druk, dat het onmogelijk voor de taxi's was om door te rijden. „De rest moeten jullie maar lopen," zei de chauffeuse.
„De stemming zit er hier al goed in," zei Niki opgewekt. „Zullen we eerst naar 'De Bandiet' gaan? Die is het dichtste bij."
„En als we elkaar uit het oog verliezen," zei Maaike, „dan verzamelen we ons om uiterlijk drie uur bij het standbeeld in het midden van het dorp. Afgesproken?"
„Je begint al een echte moederkloek te worden," lachte Maud. „Na het trouwen zeker meteen ook kinderen?"
Maaike kleurde. „Ik probeer alleen maar verstandig te zijn," protesteerde ze.
„Dat moeten we allemaal zijn," vond Femke. „We verliezen elkaar dus mooi niet uit het oog. Samen uit, dan ook samen thuis, hoor."
Toch was dat gemakkelijker gezegd dan gedaan. Overal stonden vrolijke mensen. Ze werden door iedereen aangesproken. Er was geen beginnen aan als je steeds moest kijken of ze er alle tien nog waren.
Binnen bij 'De Bandiet' keek Celina meteen rond naar een toilet. Deze keer was ze echt ongesteld en ze had het gevoel dat ze daar snel iets aan moest doen. Ze legde een hand op Femkes arm. „Ben even weg. Wc."
Femke knikte en Celina baande zich een weg door de men-

senmassa heen. Plotseling bleef ze stokstijf staan. Ze voelde haar hart kloppen in haar keel. Dat kon niet waar zijn! Het mócht niet waar zijn! Ze zag het gewoon niet goed. Hij was het niet, hij leek er alleen maar op. Toen de schrik eindelijk een beetje geluwd was, liep ze voorzichtig iets dichterbij, om tot de ontdekking te komen dat hij het toch wel was. Dj Benny stond heel intiem en ineengestrengeld met een wildvreemde vrouw te zoenen. Hoe durfde hij. Waar haalde hij het lef vandaan? Celina wist niet wat ze moest doen. Ze voelde Femkes woede in zichzelf en had zin hem een klap te verkopen, maar tegelijkertijd wist ze dat ze er beter voor kon zorgen dat ze zo snel mogelijk deze kroeg verlieten. Deze aanblik wilde ze Femke koste wat kost besparen. Ze draaide zich om om terug te lopen en botste keihard tegen een verstijfde Femke aan.

„Kom, we gaan hier weg," zei Celina. Ze pakte Femke beet, maar die was niet van haar plek weg te branden.

„De schoft!" riep ze uit. „De-de-de... Zelfs het rottigste woord dat ik kan bedenken is nog niet goed genoeg voor hem! Dus daarom kon hij van de week niet. Hij had een ander vriendinnetje..."

Celina duwde tegen haar aan. „We gaan even naar de wc's," zei ze. Dat leek haar het beste. Als ze de kroeg niet uit wilde, dan maar even bij de toiletten tot rust komen. Deze keer lukte het haar wel Femke te verschuiven.

Het was druk in de toiletten. Van een gesprek kwam niets, dat begreep Celina meteen wel. Ze duwde Femke naar een wastafel en draaide de kraan open. „Hou je handen er even onder. Dat voelt vast lekker aan."

Femke hield haar beide handen onder de stromende kraan. Ze vormde er een kommetje mee en dronk wat water uit haar handen. „Hij dacht zeker dat we in 'Crosspoint' waren. Ik geloof niet dat ik verteld heb dat we hierheen gingen," zei ze zacht, maar Celina verstond haar wel.

„Maar jullie sms'ten toch elke dag?"

„De laatste twee dagen niet," kwam het er timide uit. „Ik was een beetje teleurgesteld omdat we niet uit gingen. Ik had gehoopt dat we donderdag..." Ze nam nog een slokje en keek in de spiegel. Plotseling begon ze te huilen. „Wat een rund," zei ze vrij hard.

Een paar vrouwen keken om. Femke zag het in de spiegel. Ze stak haar tong naar hen uit en schoot toen zelf in de lach.

„Dat kun je inderdaad maar beter doen," zei een van de onbekende vrouwen. „Geen enkele man is zoveel tranen waard."

„Hij was anders heel lief," verdedigde Femke Benny.

„Was, ja. Verleden tijd, want anders stond jij niet te janken. Meid, de wereld zit vol toffe gozers, laat je niet kisten. Met zo'n uiterlijk kun je er aan elke vinger tien krijgen."

Femke glimlachte haar dankbaar toe en knikte aarzelend.

„Ja, je wou hém natuurlijk, dat snap ik ook wel," ging de vrouw verder, „maar hij is je duidelijk niet waard. Kop op, neem gewoon een ander. Het is trouwens feest hier vannacht. Dus tranen weg."

Celina had een zakdoekje uit haar broekzak gevist en reikte het Femke aan. Ze pakte het aan, snoot haar neus, veegde haar tranen af en keek opnieuw in de spiegel. Haar make-up zag er streperig uit. Uit haar broekzak haalde ze een stift en werkte haar gezicht bij.

„Wacht je even op mij?" vroeg Celina. „Ik moet echt even naar de wc."

Femke knikte. De vrouwen verdwenen lachend. „Kop op, hoor!" riepen ze nog een keer. Femke glimlachte. Wat een schoft. Hoe durfde hij! Ze rechtte haar rug en bekeek zichzelf opnieuw. De vrouwen hadden gelijk. Ze zag er goed uit.

Dit verdiende ze niet. Hij was haar gewoon niet waard. Als hij zo met vrouwen omging, was hij de man niet die ze wilde.

Ze zuchtte en voelde dat ze opnieuw zou gaan huilen. Ze was zo verliefd op hem geweest en zo blij… Echt? Ze dacht diep na en wist dat hun eerste afspraakje haar eigenlijk tegengevallen was. Ze was minder belangrijk dan de apparatuur en dat mocht wel, want het hoorde bij zijn leven, maar niet tijdens hun eerste afspraakje. Dan hoorde je alle aandacht voor elkaar te hebben. En dat bezitterige gebaar toen die ander met haar danste. Ook dat was iets waar ze diep vanbinnen een hekel aan had, want dat zou betekenen dat ze later, als ze echt een vaste relatie hadden, nooit meer met haar vriendinnen stappen mocht en dat zou ze voor geen enkele man laten schieten.

„Hé, gaat ie een beetje?" Celina kwam de wc weer uit.

„Snap je nou dat hij bezitterig deed? Terwijl hij zelf gewoon een ander staat te zoenen!"

Celina schudde haar hoofd. „Sommige mannen denken dat de wereld om hen draait en dat zij alles mogen."

„Zo'n man hoef ik dus niet," mopperde Femke.

„Goed zo," zei Celina, terwijl ze haar handen waste. „Laten we naar een andere kroeg gaan."

„Echt niet," zei Femke. „Dacht je dat ik ongezien vertrok? Dan ken je mij nog niet. Wekenlang sms'jes sturen, aan het lijntje houden, eindelijk een keertje uit en nou dit? Nee, Celina, dit laat ik niet zomaar over mijn kant gaan. Het was misschien mijn fout om verliefd te worden, maar hij heeft het wel aangewakkerd. Dit pik ik niet." Met het hoofd omhoog en een kaarsrechte rug liep ze de toiletten uit.

Celina hield haar hart vast toen ze zag hoe Femke met een stralende glimlach op Benny af liep, die de vrouw net losgelaten had. „Benny, schat, wat een heerlijke verrassing dat je je toch vrij kon maken!" riep ze uit. Ze sloeg haar armen om hem heen en drukte haar lippen op zijn mond. Ze voelde hoe hij verstijfde en dat deed haar goed. „Echt lief van je, dat je er bent. Haal je wat te drinken voor me?"

„Eh, Femke..."

„Een Passoã-jus graag," zei ze vrolijk. Iets duurders kon ze zo snel niet bedenken. „Met één ijsklontje." Ze keek hem zo stralend aan, dat hij niet anders kon doen dan zich omdraaien. Dat deed Femke ook. „En wie ben jij?" zei ze opgewekt tegen de vrouw die het tafereel met grote ogen had gadegeslagen.

„Ik eh... Wie ben jíj?" zei ze opeens kwaad.

„Benny's meisje."

„Be... Ik dacht dat ík dat was," zei de vrouw. Haar ogen schoten vuur.

„Jij? Nou, kan zijn, maar vorige week zaterdag was ik het nog, en Benny heeft me niets over jou verteld, dus eh..."

„Vorige week zaterdag?"

„Ja, we hebben zo heerlijk gedanst, joh. Dat kan hij echt goed."

De vrouw keek haar woedend aan. „Dus daarom kon hij niet..."

„Hoe bedoel je?" vroeg Femke onschuldig.

„Alsjeblieft." Benny duwde haar het glas ruw in de handen.

„Dank je, schat. Waar is jouw glas? Ik wil met je proosten."

Met tegenzin pakte hij zijn glas van een tafeltje, maar voor ze er een slok van konden nemen, greep de vrouw hen de glazen uit handen en kiepte ze allebei over Benny's hoofd leeg. „En waag het niet me ooit nog te bellen, te sms'en of op te zoeken," riep ze woedend. Het volgende moment was ze in de menigte verdwenen.

Femke schaterde het uit. „Dat is een vrouw naar mijn hart." Ze keek iemand aan die vlak bij haar stond. „Mag ik?" En zonder op een reactie te wachten, pakte ze hem het glas bier uit handen en gooide het in Benny's gezicht leeg. „Voor mij geldt hetzelfde," zei ze lachend. „Bedankt," voegde ze er nog snel aan toe tegen de man wiens bier ze gebruikt had, daarna rende ze naar Celina. „En nou naar buiten. Nu ben ik hier lang genoeg geweest!"

De rest van de nacht lukte het Femke behoorlijk dj Benny te vergeten. Gelukkig zag ze hem ook nergens meer. Ook de vrouw die hij had staan zoenen, kwam ze niet meer tegen. De anderen hadden niet gezien wat er gebeurd was, maar toen ze hoorden wat Benny had uitgevreten, waren ze woest op hem en deden ze allemaal hun best om Femke zo snel mogelijk over hem heen te helpen.

Ze herkenden trouwens verschillende spelers uit het voetbalteam van Zuidzijl, dat leverde leuke gesprekjes op en tot Malins grote vreugde zelfs af en toe een gratis glaasje bier. Ze waren ook niet de enigen uit Veldhuizen die naar dit feest gekomen waren. Overal kwamen ze bekenden tegen.

Het was heerlijk dat het eindelijk toch een beetje voorjaar begon te worden en dat het buiten niet alleen droog was, maar ook minder koud dan de voorgaande weken, zodat iedereen van kroeg naar kroeg kon slenteren en er zelfs grote groepen mensen gewoon op straat stonden te drinken.

Niki werd staande gehouden en even was ze totaal vergeten wie de mooie man was die haar aansprak. Ze lachte hem verleidelijk toe, zoals ze altijd deed naar mooie mannen en gleed vluchtig met haar hand over een van zijn brede schouders.

„Dat is Sander," fluisterde Sonja. „Je weet wel, die voetballer van Zuidzijl die overál zo lekker ruikt." Ze gierde het uit en Niki keek haar fronsend aan. Toen schoot het haar weer te binnen.

Ze grinnikte en schudde haar hoofd, maar keek hem toch

met enige bewondering aan. Ze had hem zo af laten gaan en toch zocht hij weer toenadering. Of was hij het ook vergeten, zoals zij zelf? „Schat," zei ze vleierig, terwijl haar hand in de richting van zijn broekriem ging, „ruik je nog steeds zo lekker?" Dat werkte, want het volgende wat ze van hem zag was zijn verdwijnende rug.

Pas om vijf uur begonnen de vriendinnen over een taxi naar huis te denken. Niki zou bij Maaike slapen, want in haar eentje met een taxi naar de stad, dat was, behalve ongezellig, ook veel te duur.

Om zes uur stapten Celina en Femke hun huis in. „Poeh!" verzuchtte Femke. „En nu eindelijk een echte borrel."

„Meid, je bent gek. Wat bedoel je?"

„Denk je dat ik slapen kan met dat beeld voor ogen? De hele tijd zie ik hoe hij haar zoende, hoe zijn handen over haar rug gleden. Hij raakte zelfs haar billen aan, de schoft."

Celina knikte. „Maar toch neem jij geen borrel. Kom, ik breng je naar boven en stop je in bed. Ik weet zeker dat je binnen een minuut slaapt. Morgen mag je tegen me aankletsen zoveel je wilt, maar nu ga je slapen." Ze duwde haar vriendin in de richting van de trap, maar het werd moeilijker om haar naar boven te krijgen. „Werk nou een beetje mee!" zei Celina. „Zet een van je voeten op een tree. Kom op. Je kunt het wel."

„Ik moet overgeven," zei Femke.

Celina wist niet hoe snel ze de deur van de wc open moest trekken. „Hier," riep ze. Ze was nog net op tijd. Terwijl Femke boven de wc-pot hing, zocht Celina een handdoek, een washandje en een emmer op. Boven waste ze Femkes gezicht en zette ze de emmer naast het bed. „Als je op de vloer bonkt, hoor ik je wel," zei Celina, maar Femke hoorde het al niet meer. Ze sliep.

Met waterige ogen, een lijkbleek gezicht en een hoofd dat bonkte, zat Femke op de bank in haar woonkamer. Ze had een dikke, warme ochtendjas aan, maar ze rilde. Celina schrok van haar toen ze beneden kwam om te kijken hoe het met haar was. „Femke...” begon ze aarzelend.

Femke keek haar geërgerd aan. „Stil! Ik heb barstende koppijn.”

„Zal ik een sinaasappel uitpersen?”

„Ik ben niet ziék!”

„Nee, nee, dat snap ik wel, maar...” Celina haalde haar schouders op. Wat kon je iemand aanbieden die liefdesverdriet had? Ze wist het. Een arm. Ze ging bij haar op de bank zitten en sloeg een arm om haar heen.

„Laat me met rust,” mokte Femke.

„Maar...” Celina maakte zich zorgen. Femke was zo verliefd geweest. Logisch dat ze zich nu net zo ellendig voelde. „Femke...”

„Hou op! Ik heb een kater.”

Celina moest lachen, maar het lukte haar dat te verbergen. Ze had Femke nog nooit met een kater gezien, maar ze had er nu wel alle begrip voor. „Zie je er daarom zo belabberd uit?”

„Ja, wat dacht jíj dan? Dat ik om Benny zat te treuren?”

Celina knikte.

„Die man is geen gedachte meer waard.”

Celina fronste haar wenkbrauwen. Natuurlijk had Femke volkomen gelijk, maar was ze werkelijk in staat om hem zo gemakkelijk opzij te schuiven? Dat was dan hartstikke knap.

„Ik heb een douche nodig, een paracetamol en een kop sterke koffie,” zei Femke.

„Dat klinkt heel verstandig. Kan ik je ergens bij helpen?”

„Bij alles.”

„Oké, dan gaan we naar boven.”

Femke knikte, maar bleef zitten. „Doe eerst die paracetamol maar. Ik heb zo'n hoofdpijn."

„En koffie?"

Femke haalde haar schouders op, maar Celina besliste voor haar. In de keuken zette ze het koffiezetapparaat aan, vulde een glas met water en pakte twee hoofdpijntabletjes. „Alsjeblieft." Femke nam het glas met trillende handen aan, maar ze kon het nauwelijks vasthouden. Celina zag het en hielp haar. Toen ze eindelijk de tabletjes doorgeslikt had, stond Celina op om koffie te halen. Femke zat er als een hulpeloos muisje bij, haar schouders waren ver naar beneden gezakt, haar hoofd hing voorovergebogen. Een kater?

Ze smeerde ook een paar boterhammen, belegde ze met kaas en liep de kamer weer in. „Hete, sterke koffie."

Femke keek ernaar, maar pakte het kopje niet op. Celina hielp haar opnieuw en zette de mok aan haar lippen. Femke nam een slok en zuchtte. „Ik heb veel te veel gedronken vannacht. Veel te veel. Ik voel me zo beroerd."

„Dat gaat vanzelf over. Zoals je zei: een kop koffie en een douche. Je zult zien, dat doet wonderen."

„En wat doe ik met mijn hart?"

Dus toch, dacht Celina. Ze was niet zo'n kille tante als ze net deed voorkomen. Een antwoord wist ze echter niet. Stil zaten ze een poosje naast elkaar.

„Stom, hè?" zei Femke zacht. „Om voor zo'n gozer te vallen."

„Helemaal niet. Hij zag er toch geweldig uit en deed zo spontaan en enthousiast tegen je. Natuurlijk is dat niet stom. Het zou wél stom zijn als je contact met hem bleef houden, nu je weet hoe hij is."

„Ik vind het wél stom."

„Echt niet. Je kunt toch nooit van tevoren weten hoe iemand is. Je zag hem, vond hem leuk. Zo begint elke ont-

moeting. Nu ken je hem en kun je beslissen wat je wilt."
„Wat ik wíl?" riep Femke uit, maar ze vertrok haar gezicht en legde een hand op haar voorhoofd. „Ik wil hem nooit meer zien. Met zo'n man wil ik niet omgaan, maar ik schaam me. Ik vind het zo'n afgang!"
„Jíj bent niet afgegaan, híj is afgegaan," wierp Celina tegen.
„Voor mezélf ben ik afgegaan. Dat ik niet doorhad dat hij niet te vertrouwen is."
„Maar dat kón je toch niet weten. Zoiets kun je niet aan iemand zien. Daar kom je pas achter als je iemand beter kent. Femke..."
„Jij hebt makkelijk praten," mompelde Femke.
Celina zweeg.
„Jij valt niet voor verkeerde types," ging Femke verder.
„Zul jíj weten," zei Celina op grimmige toon.
„Dat wéét ik," hield Femke vol. „Jij bent nog nooit afgegaan."
„Nee," zei Celina zacht, „omdat ik dat niet vertel."
„Hè? Wat bedoel je?" Nu keek Femke op.
Celina had spijt als haren op haar hoofd dat ze dit gezegd had. Ze had Femke willen troosten, maar nu had ze zich grondig versproken. Fout, fout! Ze zuchtte diep. „Ik ben verliefd op iemand die al bezet is, maar ik kan niet stoppen met aan hem te denken. Dát is pas stom."
„Celina!" Femke zette grote ogen op. „Ben jij verliefd?"
Celina knikte.
„Waarom heb je me dat nooit verteld?"
„Omdat het een afgang is. Omdat het stom is. Ik wil niet uitgelachen worden en ik wil al helemaal niet dat je me zielig vindt."
„Maar het is toch niet stom om verliefd te worden," vond Femke. „Zulke dingen gebeuren. Het is rot dat hij

al iemand heeft, maar het is toch niet stom?!"

Ze keken elkaar aan en opeens moesten ze beiden hard lachen.

„Punt voor jou," zei Femke grijnzend. „Dus was het ook niet stom dat ik verliefd werd op Benny."

„Precies!"

„Er ingetuind!" gierde Femke, die zich niet kon beheersen en de slappe lach kreeg. Samen zaten te gieren op de bank. Tot de tranen hen over de wangen stroomden en het lachen omsloeg in een soort van gesnik en gehuil.

„Zo, dat had ik even nodig," zei Femke. Ze veegde haar wangen droog met de mouw van haar ochtendjas en ze zuchtte eens diep. „Dat was lekker," grinnikte ze nog na.

„Kan je hoofd het weer hebben?" grijnsde Celina, die met alle geweld Femkes aandacht wilde afleiden van wat ze gezegd had.

„Nee, helemaal niet. Het bonkt nog harder dan net, maar de knoop in mijn maag is wél weg," kreunde ze. Ze pakte nu zelf de mok en dronk 'm leeg. „Wat moest ik toch zonder jou?" Ze zuchtte nog eens. „En nu proberen nooit meer aan hem te denken."

„Dat zou het beste zijn," stemde Celina in, „maar…"

„… moeilijk," vulde Femke aan. „Hij was echt leuk."

Ze zwegen even. Ook Celina dronk haar mok met koffie leeg.

„Die ogen van hem…" mompelde Femke. „Zoals ze keken… Weet je nog dat we hem onverwachts opzochten toen hij in 'Hottop' draaide? Wow, hij was zo verrast en hij keek zo blij!"

Celina knikte. Ze kon zich die avond nog haarscherp voor de geest halen omdat Dennis achter het stuur in de taxi gezeten had. Twee weken geleden was dat nu, maar ze wist nog precies wat hij tegen haar gezegd had en hoe ze over hem gefantaseerd had. Ze probeerde niet te zuchten. Femke mocht niets aan haar merken. „Ja, dat was leuk. Dat was gewoon leuk en die avond kan niemand je meer afnemen. We hebben gewoon een toffe avond gehad toen en daar gaat het toch om? Als je alles achteraf moet bekijken, kun je nooit meer genieten."

Femke keek Celina dankbaar aan. „Je bent echt mijn hartsvriendin. Je bent een schat."

Celina glimlachte. „Dat is wederzijds, want dat ben jij ook."

„Ja, zo kan die wel weer." Femke lachte, maar greep haar hoofd beet. „Oeps, ik moet nog een beetje kalm aan doen," kreunde ze. „Ik ga zo toch maar eerst douchen. Dat helpt misschien ook wel. Ik ben in elk geval wel blij dat ik er zo snel achterkwam. Stel dat we al maanden met elkaar gingen en ik zou het dan pas doorhebben. Nee, dan is dit beter."

„Je hebt gelijk. Dat zou het nog veel moeilijker maken," zei Celina. Ze wilde opstaan om nieuwe koffie te halen, maar Femke legde een hand op haar arm. Haar gezicht stond ernstig.

„Op wie ben jij verliefd, Celina? En waarom denk je dat ik je erom uitlach, want dat zei je net. Ben ik zo gemeen?"

„Nee, jij niet, maar de anderen," zei ze heel zacht. „Ik wou gewoon niet dat iemand het wist, omdat ik me zo stom voelde."

„Dát is pas stom! Toe, vertel het me. Op wie ben je verliefd? Of mag ik het echt niet weten?"

„Het is alweer over. Ik heb me erbij neergelegd. Het is voorbij. Ik zei het alleen maar om je te laten zien dat jij niet de enige bent die wel eens op de verkeerde verliefd wordt."

Ze deed opnieuw een poging om op te staan, maar Femke hield haar arm vast en keek haar onderzoekend aan. Ze schudde haar hoofd. „Het is nog helemáál niet voorbij. Ik zie verdriet in je ogen en nu ik erover nadenk, heb ik dat al eerder gezien, maar je zei dat je ongesteld was en je daarom niet lekker voelde, maar dat was niet zo, toch?"

Celina zuchtte. Als Femke nog even doorging, zat ze hier zo meteen te janken en dat wilde ze niet. Aan de andere kant was het ook wel eens heerlijk om het toch te vertellen. „Op Dennis," fluisterde ze.

„Dennis?" riep Femke uit, maar ze greep opnieuw haar hoofd beet en kreunde. „De taxichauffeur? Dennis van Niki?"

„Ja, ja, en ja."

„Celina toch, wat afschuwelijk. En al die verhalen van Niki en..." Ze sloeg een hand voor haar mond. „O, Celina, wat rot voor je. Niki speelt met Dennis en Jasper. Ze heeft er twee en ze meent er geen snars van. O, Celina, wat sneu."

„Zie je nou wel dat je me zielig vindt," riep Celina uit. „Dat wilde ik dus niet."

„Ik vind jóu niet zielig. De situatie is zielig en eigenlijk is Niki zielig." Boos keek ze haar vriendin aan. „Die doet maar, zonder na te denken over de gevolgen."

„Maar ze wist het toch niet van mij."

„Waarom heb je haar nooit iets gezegd?"

„Femke, dat doe je niet. Toen we hem voor het eerst zagen, riep zij: 'Die is voor mij.' En dus hield ik mijn mond. Dat zou jij ook doen. We gaan andermans vriendjes niet proberen te versieren."

„Maar hij was haar vriendje nog niet eens."

„Nee, maar zij wilde hem en ze was de eerste die het zei, dus had zij het recht het te proberen. We lopen elkaar niet voor de voeten als het om mannen gaat. Bovendien... Zij kan dat. Zij kan flirten en iemand verleiden. Daar ben ik veel te verlegen voor. Als ze niets had gezegd, had ik ook niet geweten hoe ik met Dennis in gesprek had moeten komen. Ik gunde hem Niki ook. Ik heb bewondering voor haar spontaniteit en ik dacht: Als ík hem niet kan krijgen, dan gun ik hem Niki het meest."

„Misschien, ja, maar zoals ze nu bezig is..."

Celina knikte. „Dat doet gewoon pijn." Ze wreef over haar wangen, want ze voelde dat er tranen overheen liepen. „Ik vind het ook zo oneerlijk tegenover Dennis, dat ze tegelijk met Jasper uitgaat. Ik heb gewoon medelijden met hem, maar ik durf het hem niet te zeggen. Ik wil Niki niet afvallen, maar het is wel stijlloos."

„Dat ben ik met je eens, maar ze zal er zelf wel de dupe van worden. Straks heeft ze niemand meer. Als Dennis en Jasper er achterkomen, willen ze haar allebei niet meer en daar heeft ze dan in feite zelf om gevraagd."

„Ze is met hem naar bed geweest," zei ze bijna onverstaanbaar.

Femke zuchtte heel diep, legde een hand op die van haar vriendin en zuchtte nog eens. „Als Dennis een man is die zich zo gemakkelijk laat versieren, een man die valt voor de charmes van Niki terwijl iedereen kan zien dat ze een spelletje speelt, dan is Dennis niet echt de man die jij wilt."

„Maar Dennis is anders!" riep Celina fel. „Dennis is niet zo!"

„Dan is hij ook niet met haar naar bed geweest," stelde Femke vast.

Daar wist Celina niets op terug te zeggen. Ze pakte Femkes hand van haar arm en stond op. „Koffie," mompelde ze, maar in de keuken waste ze haar gezicht met koud water voordat ze de koffiekan mee de kamer in nam en de mokken bij vulde.

Stil zaten ze een poosje naast elkaar. Ze dronken de koffie en aten de boterhammen. Plotseling stond Femke op. „Dat heeft me goed gedaan," zei ze. „Ik ga me douchen en daarna ga ik de hort op."

„Je zegt het niet tegen Niki, hoor! Dat wil ik niet hebben!" riep Celina uit. Ze kwam ook overeind en keek Femke met angstige ogen aan. „Tegen niemand niet!"

„Stil maar, joh. Heb ik ooit je vertrouwen beschaamd?"

„Waar ga je dan zo opeens naartoe?"

„Naar mijn ouders. Die vinden het ontzettend leuk als ik op zondagmiddag een kopje thee kom drinken. Ik doe het veel te weinig." Femke draaide zich snel om, zodat Celina haar gezicht niet kon zien. Ze had nog nooit tegen haar gelogen, maar dit was een leugentje om bestwil, toch?

In de diepe zak van haar ochtendjas voelde ze het knalrode boekje dat ze net tot haar verrassing onder het tafeltje in de huiskamer gevonden had. 'Notities' stond erop. Ze wist dat dat van Niki was en dat ze dat vast en zeker zo snel mogelijk terug wilde hebben.

12

Celina lag languit op haar bed naar het plafond te staren. Het was prettig geweest om het eindelijk eens hardop te zeggen, toch was ze bang voor de gevolgen. Oké, ze vertrouwde Femke voor honderd procent, maar nu ze het wist, kon ze wel eens heel anders gaan reageren als Dennis achter het stuur van de taxi zat, of misschien zou ze Niki gaan aanspreken op haar dubbele gedrag. Op een dag zou het dan duidelijk zijn dat ze dat deed om Celina te helpen.

Ze vloog overeind omdat ze voetstappen op de trap hoorde en niet wilde dat Femke de indruk kreeg dat ze op bed lag te janken. Op hetzelfde moment maakte haar mobiele telefoon het geluid van een binnenkomend berichtje.

„Ja," riep ze, toen Femke op de deur klopte.

Femke stak haar hoofd om de hoek van de deur. „Heb jij ook een sms'je van Maaike gekregen?"

„Ik denk het. Mijn telefoon piepte net. Heeft ze iets bijzonders?" Ze pakte haar mobieltje en las de tekst. „Goed, zeg. Echt tof!"

„Ja, geweldig voor haar."

„Hoe krijgen ze dat voor elkaar? Zo snel al?"

„Joh," zei Femke. „Luc kan zelf ontzettend veel en voor moeilijke klussen kent hij collega's genoeg die hem willen helpen. Dat huis vliegt gewoon de grond uit."

„Maar een halfjaar!? Dat kan ik me niet voorstellen."

„Luc heeft hier al zo lang van gedroomd. Die zal vanaf nu wel elke vrije seconde aan het bouwen zijn. Ik ben bang dat Maaike hem het komende halfjaar niet veel meer te zien krijgt." Femke lachte. „Kan zij ondertussen mooi alles regelen voor de bruiloft. Echt geweldig dat ze een datum hebben geprikt."

„Kunnen wij ook aan de slag."

„Hoe bedoel je?" vroeg Femke.

„Wij moeten toch helpen er een geweldige dag van te maken, maar hoe doen we dat? Wat geven we hun? Versieren we hun auto? Hun huis? Doen we nog zoiets als een meidenavond vlak voor ze gaan trouwen?"

„Ja, ja. Werk aan de winkel dus," lachte Femke. „Zover had ik nog niet door gedacht. Ik dacht dat ik alleen maar mooi hoefde te zijn op die dag."

„Maar net iets minder mooi dan Maaike," grijnsde Celina. „Ik bel haar zo even. Dat vind ik leuker dan sms'en."

„Doe haar dan de groeten van mij. Ik ga nu. Tot straks!"

Celina keek naar de dichte deur en bedacht dat zij misschien ook maar even naar haar ouders toe moest gaan. Normaal ging ze naar hen toe voordat ze naar een voetbalwedstrijd ging kijken, maar dat was er gisteren niet van gekomen vanwege de scherven voor Maaikes huis. En de was, die moest ze misschien wel als allereerste doen. Op de een of andere manier kwam ze daar doordeweeks nooit aan toe. Vermoedelijk omdat ze er nooit zin in had.

Ze toetste Maaikes nummer in, maar het was in gesprek. Logisch. Iederéén zou haar wel willen feliciteren. Celina begon haar kleren bij elkaar te zoeken, gooide ze op haar bed en probeerde Maaike nog een keer. „Hé, gefeliciteerd, joh!"

„Ja, goed, hè?"

Celina kon Maaike door de telefoon heen horen glunderen.

„Luc begon er zelf over, vanmiddag. Dat had ik echt nooit gedacht. Hij was altijd zo tegen trouwen en hij had wel 'ja' gezegd, maar ik had nooit verwacht dat hij zelf een datum wilde vaststellen. Ik was nog niet eens wakker toen hij er al was. Hij bracht me ontbijt op bed en zei: 'Liefje, wanneer gaan we trouwen?' Ik was helemaal perplex."

„Ontbijt op bed? Tof, zeg!"

„Ja, zo'n schat is het nou, maar vanaf dat hij zich ingeschreven had voor die kavel, is hij al gaan plannen en heeft hij met zijn maten gepraat en aannemers gebeld en offertes gevraagd voor materialen en toen de koop doorging, heeft hij meteen alles besteld en opeens wist hij wanneer het huis klaar zou zijn en toen vond hij dat we dan ook maar meteen moesten trouwen. Hij vond het leuk om die datum vast te stellen, want dan moest het huis ook echt klaar zijn voor die dag."

„Super."

„Vind ik ook. We zitten nog wel met getuigen. Het liefst vroeg ik jullie allemaal, maar ja, Luc wil zijn vrienden ook vragen en dat zal wel te veel worden." Ze giechelde. „Ik heb er zo'n zin in. Ik ga echt de mooiste bruid van de wereld worden. Zeg, jij doet mijn haar toch wel?" vroeg Maaike.

„Wat een vraag!"

„En Femke maakt me op, hoop ik."

„Daar komt ze niet onderuit," vond Celina. „Ik moest je trouwens van haar ook feliciteren."

„Hoe is het met haar?"

„Ze had een kater." Celina lachte.

„Vind je het gek? Ik heb haar nog nooit zo veel zien drinken. Maar verder?"

„Ze komt er wel overheen. Ze was best verdrietig, maar ook blij dat ze er nu al achterkwam. Ze had nog niet echt iets met hem."

„Maar ze was zo verliefd," riep Maaike uit. „Ik vind het sneu voor haar."

„Dat is zo, maar ze waren nog maar een keer uit geweest en meer dan een beetje kussen hadden ze nog niet gedaan. Ik geloof niet dat we ons zorgen hoeven te maken."

„Gelukkig, want ik voelde me afschuwelijk toen ik het hoorde. Ik dacht: Als Luc..."

„Ja, hé, Luc en jij gaan al zes jaar met elkaar. Dat zou écht erg zijn. Dat kun je toch niet vergelijken. Daar zou je aan kapot gaan. Nee, Femke is hem over een paar weken heus wel weer vergeten."

„Mooi zo! Ik heb trouwens in dat dikke boek van jou een schitterend kapsel gezien voor mijn trouwdag. Dat zal ik je binnenkort eens laten zien. Ben benieuwd wat jij daarvan vindt."

„Ik kom wel een avond langs. Een halfjaar vliegt voorbij, dus we kunnen inderdaad maar beter vast beginnen met bekijken en bespreken, zodat we niet alles op het laatste moment hoeven te doen."

Na het gesprek met Maaike, pakte Celina de stapel kleren van haar bed, maar ze liet ze meteen weer vallen, omdat haar telefoon over ging.

„Wat kun jij kletsen," riep Sonja uit. „Je was de hele tijd in gesprek. Heb je het nieuws van Maaike al gehoord?"

„Ja, goed, hè. Ik ben zo blij voor haar. Ik was trouwens met háár in gesprek."

„Vandaar." Sonja lachte vrolijk. „Ik kon haar ook al niet aan de lijn krijgen en Femke heeft haar toestel op de voicemail staan. Waarom? Wil ze met niemand meer praten? Voelt ze zich zo ellendig?"

„Ze is naar haar ouders. Misschien wil ze daar niet gestoord worden."

„O, dat kan, maar hoe ging het met haar vandaag?"

„Ze had een kater, maar verder redt ze het wel."

„Gelukkig. Mannen! Je kunt er maar beter nooit aan beginnen."

„Zeg, hé, wie wilde er onlangs nog eentje versieren?"

„Ja, versieren," lachte Sonja, „maar dat is wat anders."

Na het gesprek met Sonja pakte Celina opnieuw haar wasgoed van het bed. Ze keek nog een keer spiedend rond of ze alles had en toen viel haar blik op haar oude knuffelbeer. Er schoot haar een brok in de keel. „Knuf," zei ze met verstikte stem. Ze liet de kleren op de vloer vallen en bukte zich om het beertje uit de kast te pakken. Daarna zakte ze op haar bed en drukte ze het beertje dicht tegen zich aan. Ze voelde de tranen stromen en liet ze gaan. Achter haar gesloten oogleden zag ze Dennis voor zich, zijn donkere, altijd fonkelende ogen, zijn korte, donkere stekeltjeshaar, zijn lange, slanke, gespierde vingers met de altijd keurig verzorgde, kortgeknipte nagels, zijn gladde kin die erom vroeg aangeraakt te worden. „Knuffie," fluisterde ze zacht en kneep het beestje fijn.

Toen zocht ze een zakdoek, snoot haar neus hard en goed en pakte vervolgens het kleine naaidoosje dat ze onderin een kast had staan. Ze rommelde er wat in en vond uiteindelijk twee kleine, zwarte knoopjes die heel goed voor oogjes door konden gaan. Ze haalde beertjes ene oog weg, zette toen de knoopjes goed vast en naaide ook het ene oor dat er los bij hing, stevig vast. Ze bekeek de beer van een afstandje en knikte tevreden. „Dat ziet er een heel stuk beter uit. Nu ga je nog in de wasmachine. Je zult zien, daar knap je enorm van op en dan..." Ze glimlachte. „Dan beginnen jij en ik aan een nieuw leven. Zonder Dennis."

Opgewekter dan sinds lange tijd liep ze de trap af. Het had haar goed gedaan haar hart eindelijk eens bij Femke te luchten. Het had haar ook goed gedaan haar tranen eindelijk eens de vrije loop te laten. Nu was Dennis definitief verleden tijd!

In de bijkeuken bij de wasmachine bekeek ze de beer opnieuw. Zou hij veertig graden kunnen doorstaan? Ze hoopte het en stopte hem in de wasmachine, samen met haar T-shirts, slipjes en bloesjes. Ze voelde in de zakken van haar jeans en vond tot haar verrassing een briefje van vijf euro.

Dat was mooi meegenomen. In het kleine zakje van haar mooie jasje vond ze een verkreukeld papiertje. Ze streek het glad en las met verbazing de tekst: 'Bel me' en daarna een telefoonnummer. Hoe kwam ze daar ook alweer aan?

Femke reed zingend over de snelweg. Ze had de radio aan en zong uit volle borst mee. Dat deed ze graag. Niemand die hoorde hoe vals het klonk en het gaf je longen weer nieuwe energie, vond ze. Ze keek opzij toen ze ingehaald werd, terwijl ze opgewekt door bleef zingen. De chauffeur van de passerende auto schoot om haar in de lach en Femke lachte mee.

Celina was inderdaad een schat. Het had haar goed gedaan nog even met haar te praten. Benny kon haar nu gestolen worden. Oké, het deed pijn om zo voor de gek gehouden te worden, maar diep vanbinnen had ze eigenlijk toch al beseft dat hij niet de ware voor haar was. Dat apparatuur op hun eerste afspraakje belangrijker was en dat ze niet eens even mocht dansen met een ander, terwijl hij geen oog voor haar had.

Ze had Niki gebeld om te vragen of ze al thuis was. „Ik heb iets heel interessants voor je," had ze tegen Niki gezegd en toen die wilde weten wat het was, had ze lachend gezegd dat het knalrood was, maar verder moest ze maar geduldig afwachten.

Femke remde af bij de afslag richting centrum en reed rustig door de straten van de stad. Het was duidelijk dat het zondag was en duidelijk ook geen koopzondag, want het was er behoorlijk uitgestorven. Zo heel anders dan op zaterdagmiddag of zelfs zaterdagnacht. Ze parkeerde in de buurt van Niki's huis en belde een paar minuten later bij haar aan.

„Hoi, kom boven!" riep Niki door de intercom.

Femke hoorde een klik en ze duwde tegen de deur. „Ben je al lang terug?"

„Best wel. Luc bracht Maaike ontbijt op bed en aangezien

ik naast haar lag, kreeg ik ook een ontbijtje, maar ik kon wel zien dat Luc heel graag alleen wou zijn met Maaike, dus ben ik zo lief geweest om het in de huiskamer op te eten en daarna had Maaike eigenlijk totaal geen aandacht meer voor me. Maar het is ook groot nieuws. Ik vind het geweldig voor haar. De trouwdatum geprikt!"

„Ja, super!" vond ook Femke.

„Heb je trouwens nog iets lekkers bij je voor mijn gezicht? Ik zie er niet uit en kan wel een of ander krachtig masker gebruiken."

Femke schudde lachend haar hoofd. „Jij ziet er volgens zeggen nóóit uit, terwijl je altijd spettert."

„Maar ik heb vanavond met Jasper afgesproken. Ik wil mooi zijn!"

„Ik zal straks wel even in mijn tas rommelen." Ze ging op een stoel zitten.

„Hoezo straks? Of ben je je kater nog niet kwijt?"

Femke schoot in de lach. „Vreselijk, hè. Ik moest me toch overgeven vannacht en een hoofdpijn dat ik had. Daar moet ik echt geen gewoonte van maken. Ik heb al koffie van Celina gehad, maar een kopje espresso zou wel welkom zijn."

Niki liep naar de keuken en kwam even later met twee heel kleine kopjes terug. „Hoe gaat het verder met je? Ben je het alweer een beetje te boven?"

„Poeh. Zo'n kerel wil ik toch niet. Ik kan wel beter krijgen."

„Zo is het maar net," vond Niki. „Wat jammer dat ik niet gezien heb dat die vrouw die glazen over hem leeggooide."

„Hij zag er niet uit. Vooral die jus d'orange droop zo oranjig langs zijn wangen." Femke schaterde.

„En nu?"

„Wat en nu? Gewoon op naar de volgende, hoor. Schiet

me trouwens te binnen dat die man van de week ook weer komt."

„Welke man?" vroeg Niki verward.

„Die man van die wenkbrauwen. Die ziet er ook niet slecht uit. Ik zal eens vragen of ik niet wat meer voor hem kan betekenen." Ze lachte hartelijk en hoorde zelf wel dat het niet helemaal oprecht klonk, maar toch was het prettiger om te lachen, al was het ietwat gemaakt, dan te huilen. „En hoe is het met jou?"

„Prima, toch. Ik kreeg vanmorgen nog een sms'je van Jasper. Hij noemt me altijd lekker ding en dat klinkt zo lief!"

„Is hij echt zo rijk?" vroeg Femke nieuwsgierig.

„Rijk?"

„Ja, die limousine."

„Die was niet van hem. Die had hij gehuurd, maar hij zit wel goed in de slappe was. Hij is eigenaar van twee goede restaurants en van die croissanterie waar we toen zaten."

Femke keek haar verrast aan en schoot in de lach. „Dus daarom hoefden we niet te betalen. Wat een grapjas."

„Dat klopt. Hij is af en toe behoorlijk grappig."

„Maar eh..." zei Femke aarzelend. „Hoe is het nou echt met jou?" Ze keek Niki fronsend aan.

„Wat bedoel je? En wat had je nou eigenlijk voor mij?" zei Niki in een poging Femke af te leiden.

„Knalrood," zei Femke. „Zegt je dat niks?"

„Er is zoveel knalrood," vond Niki.

Femke raapte haar tas van de vloer en keek erin. Ze pakte het boekje met 'Notities' vast en hield het even in zicht, daarna stopte ze het snel weer weg.

„Wat? Hoe kom jij daaraan?" riep Niki geschrokken uit. „Is dat míjn boekje?"

Femke knikte.

„Geef hier!" Niki kwam op haar af en probeerde haar de

tas af te pakken, maar Femke was erop voorbereid en hield hem stevig tegen zich aan. „Je krijgt hem straks pas. Eerst praten."

„Praten? Ik praat niet met jou over wat ik schrijf."

„Toch wel," hield Femke vol.

„Je hebt er niet in zitten lezen, hè?" Niki kreeg een vuurrood hoofd. „Hoe kom je eraan? Heb je gewoon in mijn rugzakje zitten snuffelen?" Ze was echt boos en zond haar vriendin woeste blikken toe. „Zoiets doe je toch niet? Dat is diefstal en schending van mijn privacy."

„Natuurlijk heb ik het niet uit jouw rugzakje gehaald. Dat je het durft te denken!" viel Femke bozer uit dan de bedoeling was. „Het lag onder de tafel in mijn huiskamer. Je zult het er zelf wel uit hebben laten vallen. Dat doe je wel vaker, dame."

„Maar jij hebt het gelezen..."

Femke keek Niki met een nietszeggende blik aan.

„Wat gemeen! Wat intens gemeen! Ik dacht dat we vriendinnen waren."

„Dat dacht ik ook," zei Femke, die geen enkel idee had waarom Niki zo fel reageerde. Wat kon er nou in zo'n boekje staan? Wat voor geheimen had ze nog voor haar vriendinnen nadat ze had opgebiecht dat ze er twee vriendjes tegelijk op nahield?

„Geef dat boekje terug," hield Niki aan.

„Nee, ik wil eerst met je praten."

„Waarover?" vroeg Niki opeens timide.

„Over Jasper en Dennis."

„Zie je wel, je hebt het gelezen," siste Niki. „Wat val jij me tegen!"

Femke zei niets, keek haar alleen maar aan.

„Wat wil je weten dan?"

Femke bleef zwijgen. Ze hoopte dat Niki uit zichzelf zou

gaan praten, want ze wist niet waarom ze opeens zo van streek was. Natuurlijk had ze niet in het boekje gelezen, maar er stond dus iets in waar ze behoorlijk mee in haar maag zat. Ze keken elkaar aan en Niki sloeg haar ogen neer. Dat was zó niet-Niki, dat Femke er bijna spijt van kreeg dat ze het zo gespeeld had. Wat wás er toch?

„Hoe zou jij je voelen als je een blauwtje had gelopen?" vroeg Niki stug.

Femke trok haar wenkbrauwen hoog op. Waar sloeg deze vraag nu op? Het leek haar beter maar niet te reageren.

„Ja, jij tettert het niet zo rond dat je iemand versieren wilt, zoals ik dat doe. Dat is misschien ook wel stom van mij, dan ga je extra af als hij je niet wil, maar ook als je het niet rondtettert, ga je af."

„O?"

„Wat o? Vind jij van niet dan?" vroeg Niki venijnig. „Het is een klap in je gezicht dat hij je niet goed genoeg vindt, dat hij je gewoon niet wil. Dat is toch een vreselijke afgang. Nou, dat hoeft niet iedereen te weten, ja en geef me nu dat boekje terug, meer valt er niet over te zeggen."

Femke begreep nog steeds niet waar Niki het over had. Ze was met Dennis naar bed geweest. Ze had met Jasper in een limo gereden. Wié had haar dan een blauwtje laten lopen? „Hoezo een klap in je gezicht?" vroeg ze aarzelend. „Het is toch heel normaal als iemand je niet wil. Ik bedoel: jij wilt toch ook niet iedere willekeurige man? Je hebt daar een bepaalde smaak in en dat hebben mannen ook."

„Natuurlijk. Ik had Benny echt niet willen hebben," zei Niki kattig, „maar als ik mijn zinnen op hem gezet had en hij zou me niet willen hebben, dan kwetst me dat in mijn trots, snap je?"

„Vooral dus omdat je tegen iedereen gezegd hebt dat je Benny gaat versieren."

„Precies. Ik moet leren mijn grote mond te houden."

Femke piekerde zich suf. Ze had nog steeds niet door waar Niki op doelde, maar als ze dat al te duidelijk zou laten merken, zou Niki weten dat ze het boekje niet gelezen had en dan zou ze ogenblikkelijk dichtklappen en geen woord meer over Jasper en Dennis willen vertellen en dat was dus precies de bedoeling – dat ze wél zou gaan praten. Femke wilde weten wat er tussen haar en Dennis was en of ze al gekozen had tussen beide mannen. Maar ze moest het voorzichtig aanpakken, omdat ze Niki niet wilde zeggen wat Celina haar verteld had. „Toen ik net zei dat ik zo'n kerel als Benny niet wilde hebben en dat ik wel beter kon krijgen, was je dat helemaal met me eens," probeerde ze het over een andere boeg te gooien.

Niki keek haar verward aan. „Klopt, ja, gaan we het nu weer over jou hebben?" Ze leek opgelucht.

„Echt niet, maar hoezo kan ik wel beter krijgen?"

„Nou, dat is toch logisch! Een man die je bedriegt met een ander, die is toch geen knip voor zijn neus waard."

Nu had Femke Niki precies waar ze haar hebben wilde. Er gleed een haast onzichtbaar lachje van triomf rond haar mondhoeken. „Juist, ja," zei ze zacht. „Zo iemand is geen knip voor de neus waard."

Niki vloog overeind. „Wat ben jij intens gemeen," riep ze woedend. „Eruit. Ik wil je niet meer zien. En geef hier dat boekje!"

Femke schrok. Het liep helemaal verkeerd. Wat was er gebeurd? Hoe kwam Niki nu zo kwaad? „Laat me los," zei ze protesterend.

„Nee, hier dat boekje!"

„Is goed, je krijgt het, maar laat me los!"

Niki liet haar los. Femke deed haar tas open en gaf haar het boekje.

„En nou wegwezen," zei Niki fel.

Femke bleef echter zitten. „Nee, je vertelt me nú wat er is. Zelfs een blinde kan zien dat jij niet lekker in je vel zit. Niki, ik heb het boekje niet gelezen, ik heb het niet eens open geslagen om te zien of het echt van jou is. Ik weet niet eens óf er woorden in staan. Wat mij betreft kan het ook helemaal leeg zijn. Maar ik maak me wel zorgen om jou de laatste tijd en we zijn vriendinnen, dus vertel me wat er is. Wie heeft jou een blauwtje laten lopen?"

Niki's mond viel open. „W-w-weet je dat dan niet?"

„Nee."

„Maar dat staat erin!"

Femke zweeg.

„Dennis," zei ze toen beteuterd.

„Dennis?" Femke keek haar met grote ogen aan. „Maar… Jullie zijn toch… Dennis?"

„Ja, toen hij me eindelijk belde," zei ze bijna onhoorbaar, „was dat alleen maar om van mijn gezeur af te zijn. Ik was zijn type niet, zei hij. Hij wou niets met me."

„Niets met je… ?"

„Nee," siste Niki.

„Dus hij heeft je één keer gebeld…"

„Ja en dat was meteen de laatste keer."

„Maar… Maar jullie sms'ten toch?"

„Niet echt, nee. Ik sms'te hem en heel soms kreeg ik er eentje terug, maar altijd een korte tekst, dat ie geen tijd had of dat ie dienst had. Nooit iets liefs of zo." Ze zuchtte.

„Maar waarom deed je dan alsof?" Femke keek haar met een verbaasde en verwarde uitdrukking op haar gezicht aan.

„Dat is toch duidelijk!" riep Niki geërgerd uit. „Ik schaamde me. Het was zo'n afgang. Elke keer zei ik dat ik hem ging versieren. Dat hij de mooiste en leukste was en dat hij voor mij was. Ik wist niet hoe ik tegen jullie moest zeggen dat hij me niet wilde."

„Maar je bent met hem naar bed geweest..."

„Hè?" Niki keek haar met grote ogen aan. „Hoe kom je daar nou bij?"

„Dat heb je zelf gezegd!"

„Dat kan niet. Ik heb jullie in de waan gelaten dat Dennis wat met me wilde, maar zoiets heb ik nooit beweerd. Zo erg kan ik tegen jullie echt niet liegen."

Femke dacht na en knikte toen. „Je zei dat je nog niet met Jasper naar bed was geweest, omdat je niet met twee mannen tegelijk naar bed wilde."

Niki zuchtte. „Nou en? Daarmee heb ik toch niet gelogen? Ik heb het alleen mezelf maar moeilijk gemaakt. Ik had mezelf zo ingeprent dat ik Dennis zou krijgen, dat ik zelfs niet eens echt van Jasper kon genieten, omdat hij Dennis niet was. Pas toen ik eindelijk voor mezelf kon accepteren dat Dennis me niet wou, kon ik me op Jasper gaan richten. Snap je?"

Femke knikte traag. Poeh, het verhaal was wel heel anders dan ze allemaal ooit gedacht hadden. Niki had zelfs nooit iets met Dennis gehad. Niet eens gezoend. Celina kon haar gang gaan! Wat geweldig voor haar. Alleen, hoe vertelde ze het Celina zonder al te veel over Niki te vertellen? „Zeg, je moet het de anderen wel vertellen. Je hebt ons zo'n raar beeld van jezelf gegeven."

Niki knikte. „Ik weet het. Ik vond het zelf ook stom. Ik wilde het graag uitleggen, maar ik durfde niet en opeens leek het me interessanter te vertellen dat ik twee vriendjes had, dan dat Dennis me gewoon niet wilde."

„En als ík nou ga proberen Dennis te versieren?"

„Jij?" Niki keek haar lachend aan. „Van mij mag je, maar let op, meneer is wel heel kieskeurig."

„Dat hoort ook zo," vond Femke, „maar stel... Kun jij daar dan mee omgaan?"

„Als ik een grote meid ben, wel," zei Niki aarzelend. „Ik heb me vreselijk aangesteld. Ik ben gek op Jasper en heel erg blij met hem. Hij is heel anders dan Dennis. Eigenlijk niet te vergelijken. Dus ik hoef Dennis niet eens meer. Iedereen mag hem van me hebben. Ik bén al blij en gelukkig. Het is puur dat hij me de hele tijd doet terugdenken aan mijn gezeur tegenover jullie dat ik hem wel eventjes zou gaan versieren. Maar daar moet ik dan maar mee leren omgaan. Zeker als het jou betreft, want jij bent mijn vriendin." Ze zuchtte diep, maar haar ogen stonden beter dan ze de afgelopen weken gedaan hadden. „Hè, hè, ik ben blij dat dat er nu eindelijk uit is!"

Celina drukte de wasmachine aan en bleef even staan kijken naar het ronde ruitje van de machine. Er schoot haar een verhaal van haar oma te binnen en ze grinnikte. Toen oma voor het eerst een wasmachine met een ruitje kreeg, had ze er wel een uur voor gezeten om te kijken wat er toch allemaal daar binnen gebeurde. Daarvóór had ze alles in een grote teil moeten wassen en boenen en wringen en uitspoelen. Het had haar altijd een hele dag gekost en oma kon gewoon niet geloven dat zo'n machine de was voor haar kon doen.

Een hele dag. Nu was het een kwestie van er instoppen en aanzetten en het kwam er gewassen en zelfs behoorlijk droog uit. Dat Celina er nooit zin in had, zou ze maar niet aan oma vertellen. Die kon dat vast niet geloven. Het werk stelde immers niets meer voor.

Ze liep de trappen weer op. Het leek haar inderdaad een goed idee om net als Femke even naar haar ouders te gaan. Even andere gezichten te zien. Ze kon dan meteen van Maaike vertellen, want dat wisten ze vast nog niet.

Maar eerst moest ze nog goed nadenken over hoe het zat met dat telefoonnummer. Hoe kwam ze aan dat papiertje? Wanneer had ze het gekregen en van wie? Vaag wist ze dat ze geïrriteerd was toen ze het kreeg. Het enige logische zou dus geweest zijn dat ze het weggegooid had. Waarom had ze dat niet gedaan dan? Ze liet zich op de stoel voor haar computer zakken, legde het papiertje op de tafel neer en keek onderzoekend naar het handschrift, maar dat zei haar niets.

Plotseling schoot het haar toch weer te binnen. Haarscherp stond het haar nu voor de geest. Een wildvreemde man had het haar gegeven. Hij zei dat het uit haar zak gevallen was. Ze glimlachte. Dat was best wel een originele tekst om met iemand in aanraking te komen. En knap doortastend ook. Meteen zijn nummer geven. 'Bel me', had hij er zelfs op gezet. Zou ze?

Ze schrok van haar eigen gedachte, maar had ze niet net besloten dat ze een nieuw leven wilde beginnen? Beertje zat in de wasmachine, gerepareerd en al, dus waarom niet? Geïrriteerd? Waarom was ze geïrriteerd geweest? Ze fronste haar wenkbrauwen. O ja, Dennis in de taxi in de stad. Dat was het. Ze zouden naar dj Benny gaan kijken en toen had Dennis hen gereden en ze was zo ontzettend van slag geweest, zo in de war. Hij had haar zelfs even aangeraakt bij het uitstappen. Ze had hem geroken, bijna geproefd. En toen stond die man daar met het papiertje.

Wat zei Maaike ook alweer? Dat het een knappe man was. Eerlijk gezegd kon Celina zich dat niet meer herinneren. Ze kon zich helemaal niets meer van zijn gezicht herinneren. Wel dat hij haar iets te drinken aanbood en dat Femke hem nogal kortaf weggestuurd had, omdat Celina niets van hem wilde.

Ze kon altijd bellen om haar excuses aan te bieden. Wel wat laat, want wanneer was het ook alweer gebeurd? Twee weken geleden, ja. Hm, twee weken moest kunnen. Bij de uitgang was ze hem opnieuw tegengekomen. „Niet vergeten te bellen, hoor," had hij lachend gezegd. Nu kon ze zich hem toch weer voor de geest halen. Hij had er inderdaad knap uitgezien. Daar had Maaike zeker gelijk in.

In een overmoedige bui greep ze haar telefoon. Ze herkende zichzelf niet, maar ze vond het wel grappig. Gewoon doen. Dat zei Niki ook altijd. Doen waar je zin in hebt. Nou, hier had ze best eens zin in. Hij kende haar immers toch niet. Als ze iets stoms zei, kon ze altijd het gesprek beëindigen. Hij had dan wel haar telefoonnummer, maar wist niet waar ze woonde, toch? Ze kwam hem beslist nooit weer tegen, want naar 'Hottop' zouden ze vast nooit meer gaan nu de diskjockey die daar draaide zo onbetrouwbaar bleek.

Ze grijnsde en toetste het nummer in. Ze zou het doen! Ze deed het! Was dit nou de nieuwe Celina?

Ze hoorde hoe de telefoon overging en over bleef gaan en ze begon al bang te worden dat hij niet op zou nemen. Ze besloot dat ze niets op zijn voicemail zou inspreken. Dan belde ze later nog wel eens terug. Of niet. Ook goed.

„Ja?"

Ze schrok van zijn stem. Hij had toch opgenomen.

„Hoi." Ze schraapte haar keel. „Hoi, met Celina. Ik vond net je papiertje in het zakje van mijn jasje. Ik denk dat het er al twee weken in zit, sinds ik in 'Hottop' was, maar ik had het niet eerder gezien. Ik wou net mijn kleren gaan wassen en toen voelde ik in alle zakken en toen vond ik je briefje in mijn jasje en, nou, ik dacht, ik bel maar eens. Tenslotte vroeg je dat op dat papiertje. 'Bel me', staat erop." Ze had een hoofd als een boei. Wat een klets was ze. Wat een puberachtig gedoe! Had ze dat niet veel korter en bondiger kunnen zeggen? Ze ging natuurlijk meteen af als een gieter.

„Celina," hoorde ze de man zacht zeggen. „Celina, eindelijk. Ik wacht echt al twee weken op je telefoontje en als je wacht, duren twee weken lang, hoor. Wat een heerlijke verrassing dat je nu toch belt. Ik dacht ondertussen al dat je niets met me te maken wilde hebben."

Ze viel volkomen stil. Net als haar hart. Ze vergat te ademen en haar benen voelden aan als die van een slappe lappenpop. Het zweet brak haar uit, haar buikspieren verkrampten. Haar vingers knepen de telefoon zowat fijn. „Dennis?" fluisterde ze haast onhoorbaar.

„Ja, natuurlijk," lachte hij. „Wie dacht jij dan?"

„Dennis?" herhaalde ze, volkomen in de war.

„Ja, wist je dat niet?"

„Nee." Haar stem begaf het. Ze kuchte, schraapte haar keel. „Nee," probeerde ze het nog een keer. „Er staat alleen maar 'Bel me'. Je naam stond er niet op."

„Dat is suf van mij. In de haast vergeten zeker. Sorry, hoor, maar..." Nu stond hij met zijn mond vol tanden en dat klonk zo lief, dat Celina bloosde van haar kruin tot haar tenen. „Wil je wel met mij praten dan?" vroeg hij uiteindelijk aarzelend. „Wie dacht je dat je belde? Je had dus heel iemand anders verwacht." Hij klonk onzeker, teleurgesteld ook en verward.

Ze hoorde het, begreep die teleurstelling niet, kon ook niet helder meer denken. Ze voelde zich zo overrompeld, zo totaal overdonderd. Alles wat ze de afgelopen tijd over hem gedacht had, dat ze hem Niki gunde, dat ze hem zelf wilde, alles dwarrelde door haar hoofd als een dikke wazige, donzige deken. Ze wist opeens helemaal niets meer, alleen maar dat ze zijn lieve stem in haar oor hoorde praten, in haar eigen oor en dat haar hele lichaam daar warm van werd omdat hij zei dat hij blij was dat ze belde, dat zíj belde...

„Er is eigenlijk maar een iemand met wie ik zou willen praten," zei ze zacht en alles aan haar trilde en gloeide, „maar ik

wist zijn nummer niet en daarom heb ik dit maar gebeld."
„Een iemand?"
Ze knikte en vond de moed om het te zeggen. „Ja. Jij."

Lees ook 'Rondje!', het vervolg dat in voorbereiding is, want lukt het Maaike wel om haar huwelijk zo voor te bereiden als ze in gedachten heeft, blijft Niki gelukkig met Jasper en krijgen Celina en Dennis een vaste relatie?

Of loopt alles anders dan ze hopen en denken?

Lees ook:

Vlinder leest in haar horoscoop dat ze een absolute pechdag tegemoet gaat. Een paar uur later is ze haar vriend, haar huis én haar baan kwijt. Intussen hebben haar vriendinnen Mandy en Esmee zo hun eigen problemen bij hun zoektocht naar Mr. Right...